JN105959

50歳からの 語源で覚えて忘れない英単語1450

すずきひろし

PHP

はじめに

　大人になると新しいことを覚えることが苦手になります。それは英語に限ったことではありません。何でもすぐに覚えられる子どもたちが羨ましいですね。でもそれは人間の機能としては健全で正常なことなのです。大人になっても子どものときのペースでものを覚え続けていたら、頭がパンクしてしまいます。ですから必要なことだけを覚えてほかのことは忘れていく、それが大人の正常な機能だそうです。

　「では大人は英単語の暗記には不利なの？」と思いたくなりますが、私はそうは思いません。大人には大人の強みがあるはずです。それは、既に持っている知識と関連付けて新しい知識を覚える能力です。

　私はカルチャーセンターや自分の運営する英語塾で英語を教えていますが、その中でも「大人の学び直し英語」は私が最も情熱を注いでいるテーマです。ほとんどの生徒さんが「英単語が苦手」と言いますが、実際に中学の教科書に出てくる英単語のほとんどは、大人なら少なくとも「聞いたことがある」ものです。正確な意味は知らなくても、新聞やテレビで目にしたり広告の中で見るような「カタカナ語」に関係する英単語がたくさんあります。

　高校生や大学生の生徒さんも同様に英単語が苦手ですが、彼らにとっても「なんとなく聞いたことがある」語が教科書や問題集には多く出てきます。

　「聞いたことがあるけれどわからない」というのは、言ってみれば「中途半端」な知識であり、水が出ない「掘りかけの井戸」です。使われていないもったいない資源です。「なんとなく知っている」をもう少し掘って「ちゃんとわかる」にすれば水は湧くのです。そういう生徒さん方の学習用に、新聞や雑誌を見ながら身近なカタカナ語を拾い上げたところ、約1000語のリストができました。そして各々の語の横に、語源的に関連する語を並べることで約3000語ほどの英単語のリストができ、それをまとめたいと思っていました。

　ちょうどその頃にPHP研究所から声をかけていただき、この本の出版に至ったわけです。本書を活用いただければ、井戸から水が湧き出るように、ほどなくして英単語が自分のものになるはずです。英単語を覚える苦痛から解放され

る、というよりむしろ「簡単で楽しい」と感じていただけると思います。

　50代以上の大人にとってもうひとつ朗報があります。歳とともに記憶力は落ちても、ものの「感じ」や「イメージ」でとらえて記憶する能力は衰えないそうです。つまり、英単語の意味や言い方を、訳語ではなくイメージや感覚で覚える方法をとれば、その能力は若い頃と変わりません。私の強みはイラストが描けること。イラストをたくさん描いたので、ぜひイラストでイメージを感じながら英単語や語源を理解してみてください。

　英単語選定にあたり、中学校の教科書に出てくる英単語や英検3級の英単語を広くカバーできるように心がけ、あわせて高校の最初の方で学ぶ単語や日常の会話でよく出てくるような単語も掲載しています。初心者の方から大学受験の方にも役立てていただけるレベルだと思います。

　また、「わかったようでわからなかった」「今さら聞けなかった」「カタカナ語」についても理解ができるようになり、長年のモヤモヤが晴れることもあると思っています。

　いっぺんにやる必要はありません。わかるところや興味のあるところからでもいいのであわてずにゆっくりと読み進めてください。

本書に登場する英単語の記号の意味

★ 中学必須レベル
☆ 英検3級レベル

※無印の英単語は、高校レベル以上のものですが、「カタカナ語」として誰もが聞いたことのある、なじみのある英単語として掲載しています。
※ところどころ句点（。）の代わりにセミコロン（；）が使われています。これは文章間のつながりがあることを表すときに英文ではよく使われる記号で、ここでも前後の文章間のつながりが強いことを表す必要があるときに、句点の代わりに用いました。

50歳からの語源で覚えて忘れない
英単語1450
もくじ

PART 1
知ると便利な英単語の「あたまとしっぽ」

● 接頭辞

● 接尾辞

PART 2
暮らしの中のカタカナ語から学ぶ

デパートdepartment store/コンビニconvenience/
ディスカウントdiscount/ストアstore/レシートreceipt/カートcart/
クオリティquality/プライスprice/クレジットcredit/キャッシュcash/
カスタマー customer/センター center/サービスservice/プレゼントpresent/
デューティー duty/ペイpay/スペンドspend/エクスペンシブ expensive/

PART **4**
基本語を感じて学ぶ

この本の活用法

覚えるための3要素

　「生活の裏ワザ」を紹介するようなテレビ番組を観ることがあると思います。観たときは「便利だな」と感心してもやがて忘れてしまうこともあれば、頭に定着してすっかり生活の中に取り入れられることもあります。では、定着することとしないこと、どこに違いがあるのでしょう。

　「覚えられる」ということには3つの要素があると思います。

1.　自分に関係があること

　いくら便利だと思えても、例えばガラス瓶のふたを開けることがない人にとっては、「かたいふたの開け方」は必要性や実感がないので、すぐに忘れてしまいます。覚えるには「自分に関係がある」ことが必要なのです。

2.　実際にやってみて繰り返すこと

　自分に関係があって「いつかは役に立つかもしれない」と思ったとしても、実際にやってみないと忘れてしまうし、一度や二度では忘れてしまいます。日常的にすぐに繰り返してこそ、記憶に定着して覚えることができるものです。

3.　理屈がわかること

　理屈がわからないと、やり方を忘れかけたときに思い出すことができなくなりますが、理屈さえ覚えていれば思い出しやすくなります。瓶のふたが開かないときの例でいえば、「ガラスと鉄の熱膨張率が違うから」という理屈を覚えておけば、「お湯につけると開きやすい」という方法を思い出すことができます。

　英単語の暗記も同じです。自分に関係があると思うこと。または自分に関係がある英単語を覚えようとすることが大切です。そしてそれを実際に使い続けること、または何度も繰り返して見たり聞いたりすることです。さらに、理屈がわかっていること。理屈というのは英単語の場合でいうと、その単語の成り立ちを知っていることです。あとで説明しますが、英単語はただの文字の連なりではなく、意味を持った 塊 の組み合わせです。それさえわかれば、英単語の「理屈」が見えてくるのです。

英単語は分ければわかる

　それではその英単語の「理屈」、つまり英単語の成り立ちについて説明していきましょう。

　最近ではテレビ番組などで日本語の「語源」について語られることがあります。例えば「『冷たい』の語源はね、『爪が痛い』だよ」のように。

　ずっと昔、ことばができてから、より多くのことを表現するために人間はたくさんの「新語」を作り出すことで言語を豊かにしてきました。新語を作り出そうとするとき、「ふたつのことを組み合わせる」方法がよく使われます。上記のように日本語の「冷たい」もそのひとつです。また、「引き付ける」というような語は「引く」と「付ける」からできているのはすぐにわかります。

　もし英単語も、「冷たい」と同じようにできているとしたらどうでしょう。覚えやすそうだと思いませんか？

　おそらくこれまで皆さんは「漢字は見た目でなんとなく意味がわかるのに、英単語はわからないからまる覚えしなきゃ」と思ってきたと思います。確かに漢字は、例えば「けものへんは動物を表す」とか「魚へんは魚を表す」など、その漢字が表す意味の分類くらいはわかります。でも、漢字の「つくり」は多くの場合「音」を表していて、「意味」を表しているものは多くはありません。その点、英単語の場合は、分解すれば各パーツがそれぞれ「意味」を表しているので、漢字の意味を推測するよりもむしろ英単語の意味を推測する方が簡単なのです。

　例えば、遊園地などの「アトラクション」は英語で**attraction**ですが、実はこれ、「引き付けるもの」という意味です。アトラクションは来場者の気持ちを惹きつけますよね。この**attraction**という語は三つのパートから成り立っているのです。つまり、**at**という「接頭辞」と**tract**という「語根」と**ion**という「接尾辞」です。接頭辞というのは通常、語のあたまについて方向や位置関係などを表し、語根というのは語の中核の意味を表すもので、接尾辞というのは語のしっぽとなって品詞や追加機能を表すものです。

　この場合の**at**というのは**ad**の異形で「向けて」を意味し、**tract**は「引っ張る」を意味します。農具を引っ張る車を「トラクター」と言いますよね。ですから、言ってみれば**at**は「付ける」で**tract**は「引く」のような意味なので**attract**は文字通り「引き付ける」なのです。**ion**は語を名詞にする働きを持っ

ているので **attraction** は「引き付けるもの」の意味なのです。

$$\text{attraction} = \underset{\text{向かって}}{\underset{\|}{\overset{\overset{接頭辞}{\|}}{\boxed{\text{at}}}}} \quad \underset{\text{引く}}{\underset{\|}{\overset{\overset{語根}{\|}}{\boxed{\text{tract}}}}} \quad \underset{\text{もの}}{\underset{\|}{\overset{\overset{接尾辞}{\|}}{\boxed{\text{ion}}}}}$$

　また、抽出物を意味する「エキス」という語がありますが、これは英語でいえば **extract** になります。ここにも **tract** が入っているのがわかりますね。この場合の接頭辞の **ex** は「外へ」とか「出す」を意味します。つまり **extract** は「引く（**tract**）」＋「出す（**ex**）」なので「引き出す」の意味です。
　ほかにも、
　elect ＝ **ex**（出す）＋ **lect**（選ぶ）＝「選び出す」選挙で人を選ぶ
　visit ＝ **vis**（見る）＋ **it**（行く）＝「見に行く」（人や街などを）訪問する
のように分解して理解することができるのです。

$$\text{attract} = \underset{\text{つける}}{\underset{\|}{\overset{\overset{接頭辞}{\|}}{\boxed{\text{at}}}}} \quad \underset{\text{引く}}{\underset{\|}{\overset{\overset{語根}{\|}}{\boxed{\text{tract}}}}} \quad \text{引き付ける}$$

$$\text{extract} = \underset{\text{出す}}{\underset{\|}{\overset{\overset{接頭辞}{\|}}{\boxed{\text{ex}}}}} \quad \underset{\text{引く}}{\underset{\|}{\overset{\overset{語根}{\|}}{\boxed{\text{tract}}}}} \quad \text{引き出す}$$

$$\text{elect} = \underset{\text{出す}}{\underset{\|}{\overset{\overset{接頭辞}{\|}}{\boxed{\text{e(x)}}}}} \quad \underset{\text{選ぶ}}{\underset{\|}{\overset{\overset{語根}{\|}}{\boxed{\text{lect}}}}} \quad \text{選び出す}$$

　多くの語は、このような組み合わせでできているのです。こうやって、語源にさかのぼって語を分解して意味を理解したり覚えたりするのが、「語源を利用した学習法」で、それが英単語を覚える上での「理屈」です。正しく分解できればその語のだいたいの意味が推測できますし、忘れかけた単語でも意味を

思い出すことができるのです。

　もう少し例を挙げると、**department store**（デパート）の **department** は、**de** という接頭辞と **part** という語根と **ment** という接尾辞からできています。**part** は「部分」という意味の語としてなじみがあると思います。**de** は「離れる」という意味を表す接頭辞で、**depart** は「部分が離れる」ということから、「出発する」「離れる」「外れる」といった意味になっています。名詞を作る働きの **ment** という接尾辞がつくと「分離したもの」ということから「（組織の）部門」や「（百貨店の）売り場」の意味になります。「出発する」の意味では同じく名詞を作る働きの **ure** という接尾辞がついて **departure** となり「出発」の意味になります。**departure** は空港や二カ国語で書かれた駅の時刻表などで目にする語です。**department** を理解したら「アパート」の **apartment** も覚えられます。一世帯ごとに「分離」された家屋が **apartment** ですね。**department** と **apartment** は「他人の空似」ではなくて意味としてちゃんとつながっているのです。このような単語同士のつながりが、実はたくさんあるのです。

　ですから、英単語は正しく分ければ正しく理解しやすくなるのです。

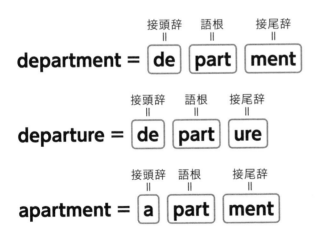

日常生活が教材に変わる方法

　ここまでで語源の考え方はわかったとして、「はたしてそれが実際に暗記につながるの?」と思う方も多いと思います。前に挙げた「覚える」の3要素に「自分に関係がある」と「繰り返す」の2つがありました。それを活用する方法を考えてみましょう。

　読者の皆さんは日々生活の中でいろいろな「エイゴ」に接しています。買い物に行けば「デパート」「セール」などたくさんの「エイゴ」を目にします。家事をしていても同じです。家の中を見渡せば、いろいろな「エイゴ」が見えます。テレビやラジオでもたくさんの「エイゴ」が流れます。ここでいう「エイゴ」とは英語に基づく「カタカナ語」です。それらは皆さんに「関係がある」ことばばかりで、しかも「繰り返して」目にしたり耳にしたりするものです。

　それら身近な「エイゴ」を英単語に置き換えて理解すれば、それだけでとてもたくさんの英単語を覚えたことになります。さらに、その英単語の「理屈」を理解する、つまり「接頭辞や語根などの塊に分けて考える」ことができれば、その語と共通の接頭辞や語根を使ったほかの英単語を関連させて覚えることが可能になります。

　買い物に出かけたら、「デパート」という「エイゴ」を **department store** という「英語」で認識します。そして **department** が **de+part+ment** だと認識します。さらに **part** という語根を使ったほかの単語 **departure**、**participate** などを暗唱してみます。もしその場で思い出せなかったら家に帰ってこの本で確認しましょう。そうすれば本を携行していなくても単語を繰り返し思い出そうとすることが生活の中でできるようになります。

　買い物で、車に乗って、電車に乗って、テレビを観て、そこで目にする「エイゴ」をきちんと「英語」に置き換えて、繰り返してその関連語を暗唱する。そうすることで生活に関係する英単語はもちろん、語源でつながるほかの英単語まで覚えることができてきます。それが生活を教材に変える方法で、ただ英単語を暗記するだけの時間は最小限にすることができます。

　しかも、そうすることでそれまでアルファベットという記号の連なりにしか見えなかった英語が、意味ある塊に見えてくることを実感すると思います。その意識ができれば、テレビや新聞に溢れる耳新しいカタカナ語も理解できるようになって、興味の幅が広がっていくと思います。

PART ①

知ると便利な英単語の「あたまとしっぽ」

前に触れたように、多くの英単語は「接頭辞」「語根」「接尾辞」というパーツから成り立っています。「接頭辞」というのは通常、語のあたまについて方向や位置関係などを表すもので、「接尾辞」というのは語のしっぽとなって品詞（名詞、動詞、形容詞など）や追加機能を表すものです。

Prat 1では代表的な「接頭辞」（あたま）と「接尾辞」（しっぽ）の説明をします。これを理解した上で「語根」を中心に説明するPart 2とPart 3を読んでいただくのが効率的な方法だと思います。

接頭辞 ad-

「向かって」

　基本形はad-ですが、続く音によって（c、k、qの前でac、fの前でaf、pの前でap、sの前でas、tの前でatなど）形がいろいろに変化するので気づきにくいものの、実はたくさん使われている接頭辞です。説明の中では基本形のad-で表します。このad-の「向かって」の意味はイメージしやすいので、これを覚えるとたくさんの語を「感覚で」理解することができるようになります。

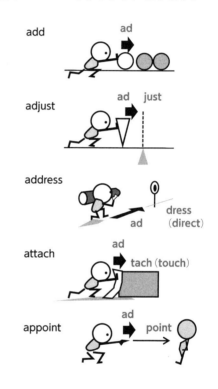

- ▶ ★**add** [ǽd]
  向かって (ad) 与える (do)
  ➡ 動 付け加える

- ▶ **adjust** [ədʒʌ́st]
  ジャスト (just) に向ける (ad)
  ➡ 動 調整する

- ▶ ★**address** [ədrés]
  まっすぐ (dress) 向ける (ad)
  ➡ 名 住所　動 話しかける

- ▶ ☆**attend** [əténd]
  向かって (ad) 延ばす (tend)
  ➡ 動 出席する

- ▶ **attach** [ətǽtʃ]
  向かって (ad) タッチ (tach)
  ➡ 動 貼り付ける、添付する

- ▶ **appoint** [əpɔ́int]
  向けて (ad) 指す (point)
  ➡ 動 任命する、指名する、
  〈時間・場所などを〉指定する

add
adjust
address
attach
appoint

addressのdressは**direct**（まっすぐ）のことで、「まっすぐに手紙が向かって行く」をイメージできる「宛先」「住所」の意味のほか、人に向けた「あいさつ」や、動詞で「（課題などに）取り組む」という意味があることも理解できます。
attachの名詞形は**attachment**ですが、メールでいう「添付」の意味のほか、「気持ちが向かう」から、「愛情」「愛着」の意味もあります。
appointの名詞形は**appointment**で「（病院などの）予約」の意味がありますが、これは「特定の時間に向けて指定する」という感覚をふまえると理解しやすくなります。

接頭辞 con-, co-

「いっしょ」
「すっかり」

　基本形はcon-ですが、b、m、pの前でcom、lの前でcol、rの前でcor、母音などの前でcoのように変化します。みなco-と同じ意味ですので説明の中では基本形のcon-で表します。**combine**は＜ふたつ(bine)をいっしょにする＞から「結合させる」。**component**は＜いっしょに置く(pone)＞から「構成要素」。**coworker**は「いっしょに働く人」。conは「いっしょに」の意味のほか**complete**のように「すっかり」の意味もあります。漢字の「完」の感覚です。

▶ **consist** [kənsíst]
いっしょに (con) ある (sist)
➡ 動 (〜から) 成る

▶ ＊**company** [kʌ́mp(ə)ni]
いっしょに (con) パン (pan) を食べる
➡ 名 会社、仲間

▶ **conversation** [kà(:)nvərséɪʃ(ə)n]
互いに (con) 向き (verse) 合うこと
➡ 名 会話

▶ **collaborate** [kəlǽbərèɪt]
いっしょに (con) 働く (labor) こと
➡ 動 共同で行う (「コラボ」)

▶ ＊**complete** [kəmplíːt]
すっかり (con) 満たす (plete = full)
➡ 動 完成させる　形 完全な

▶ ＊**correct** [kərékt]
すっかり (con) 正しい (rect = right)
➡ 動 正す　形 正しい

con いっしょに

con すっかり

correctのrectは「まっすぐ」「正しい」、つまり**right**です。
強調の意味のcoにはほかに**cover**＜すっかり (co)覆う＞「覆う」「覆い隠す」があり、反対の意味のdis (p.25)がつけば＜覆いを外す＞から「発見する」で、「再び」の意味のreがつけば「欠けたところを再び覆う」から「回復する」になります。

conの仲間

　con、coの仲間はたくさんあるので挙げておきましょう。

「いっしょに」系
coと音が似ている漢字「協」「共」として覚えましょう。

- ▶ ★**common**　いっしょに (con) 持つ　➡普通の、共通の
- ▶ ☆**company**　いっしょに (con) パン (pan) を食べる　➡会社、仲間
- ▶ ☆**contract**　いっしょに (con) 引き (tract) 合うこと　➡契約
- ▶ **coworker**　いっしょに (con) 働く人 (worker)　➡仕事仲間、同僚
- ▶ **cooperate**　いっしょに (co) 働く (operate)　➡協力する
- ▶ **collaborate**　いっしょに (con) 働く (labor)　➡共同で行う

「すっかり」系
「完」として覚えたり、「こっぱずかしい」などの「こ」として感じましょう。

- ▶ ★**cover**　すっかり (co) 覆う (over)　➡覆う、覆い隠す、及ぶ
- ▶ **conclude**　完全に (con) 閉じる (clude)　➡終える
- ▶ **compact**　ぎっしり (con) 詰まった (pact)
　➡小型の、ぎっしり詰まった、簡潔な
- ▶ **concept**　しっかり (con) つかんだ (cept)　➡概念
- ▶ **concise**　すっかり (con) 余分を切り取った (cise)
　➡（無駄がなく）簡潔な
- ▶ **confide**　すっかり (con) 信じる (fide)　➡秘密を打ち明ける、信頼する
- ▶ **confidential**　confide+の (ential)　➡内密の、親展の
- ▶ **confirm**　すっかり (con) 堅く (firm)　➡確かめる
- ▶ ★**complete**　すっかり (con) 満ちた (plete)　➡完全な
- ▶ **comply**　すっかり (con) 満たす (ply)
　➡（規則、要求などに）応じる、（規則などに）合致する
- ▶ **comprehend**　すっかり (con) 包む (prehend)　➡理解する
- ▶ ★**correct**　すっかり (con) 正しい (rect)　➡正しい、正確な
- ▶ **conserve**　完全に (con) 守る (serve)　➡保存する

接頭辞 pre-

「前」「予」

　「プレオリンピック」のようにカタカナの「プリ」や「プレ」がつく語はたくさんあるのでなんとなく「前」の意味だという察しはつきますね。時間的な「前」の他、物理的な場所としての「前」も表します。**present** は「目の前にある」から「存在して」「出席して」「現在の」。贈りものの意味の **present** も「前に差し出された」の意味からきています (p.56)。

▶ **preschool** [prískùːl]
　就学 (school) 前の (pre)
　➡ 名 幼稚園　形 就学前の

▶ **prepaid** [prìːpéɪd]
　前もって (pre) 払われた (paid)
　➡ 形 前納の

▶ ☆**prepare** [prɪpéər]
　前もって (pre) 並べる (pare)
　➡ 動 準備する

▶ **preview** [príːvjùː]
　前もって (pre) 見る (view)
　➡ 名 内覧会、予告編

▶ **prevent** [prɪvént]
　前もって (pre) 行って (vent) 防ぐ
　➡ 動 妨げる、防ぐ、予防する

▶ **predict** [prɪdíkt]
　前もって (pre) 言う (dict)
　➡ 動 予測する

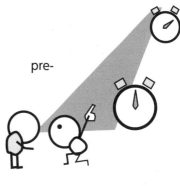

pre-

pre-

prior は「前の」で、**previous** も同じように「前の」の意味です。文法用語の「前置詞」は＜前に (pre) 置かれる (pose)＞から **preposition** といいます。
「予習」のことを prep ということがありますが、これは **preparation** を短くしたものです。

接頭辞 pro-

　前の pre- と同源で、時間や方向の「前」を表します。**process** や **proceed** はどちらも「前へ進む」から各々「過程」「進む」ですし、**progress** は＜前へ進む (gress) ＞から「前進」。**promotion**（前へ動かす→昇進、促進）も前へ進む感覚です。**program** の gram は graph と同様「書く」の意味で＜前もって書く＞から「計画（する）」、計画された「教育課程」や「番組」などの意味になります。

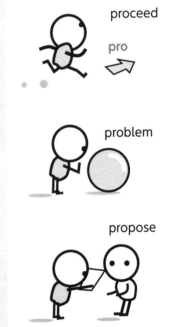

proceed

pro

problem

propose

▶ ★**promise** [prɑ́(:)məs]
前に (pro) 送る (mise)
➡ 動 約束する　　名 約束

▶ ☆**protect** [prətékt]
前で (pro) 覆う (tect)
➡ 動 保護する

▶ ★**problem** [prɑ́(:)bləm]
目前に (pro) 投げられた (blem = ball)
➡ 名 問題

▶ **propose** [prəpóuz]
人の前に (pro) 置く (pose)
➡ 動 提案する、結婚を申し込む

▶ ★**project** 名 [prɑ́(:)dʒèkt] 動 [prədʒékt]
前に (pro) 投げる (ject)
➡ 名 事業計画　動 推測する

▶ **prospect** [prɑ́(:)spekt]
前を (pro) よーく見る (spect)
➡ 名 見込み

　「プロ」というともっぱら「プロフェッショナル」が思い浮かびますが、profess は＜前で (pro) 宣言する (fess) ＞で、**professor** は「教える人」「先生」→「教授」、**professional** は「職業の」の意味になります。

接頭辞 fore-

「前」

　preやproと同様に「前」を意味します。**forehead**は＜頭の前方部分＞、つまり「額」を表しますし、「気持ちが向かう方向」を表す前置詞の**for**も同源です。これらが「方向」としての「前」を表すのに対して、**forecast**や**foresee**などは時間的な「前」を表します。**weather forecast**（天気予報）はテレビでよく耳にすることばです。

forward

for

foresee

for

before

for

▶ **forehead** [fɔ́ːrhèd]
　頭の前の (fore) 部分
　➡ 名 額

▶ ★**forward** [fɔ́ːrwərd]
　前の (fore) 方へ (ward)
　➡ 副 前方へ　形 前方の

▶ **forecast** [fɔ́ːrkæst]
　前もって (fore) 投げる (cast)
　➡ 動 予報する　名 予報

▶ **foresee** [fɔːrsíː]
　前もって (fore) 見る (see)
　➡ 動 予知する

▶ ★**former** [fɔ́ːrmər]
　前の (fore) （比較級）
　➡ 形 前の、昔の

▶ ★**before** [bɪfɔ́ːr]
　前 (fore) で（ここでの fore は語根）
　➡ 前 接 副 前に

back and forth（前後に）という熟語の forth（前方へ）もあります。
firstは「一番前」のことで、はるか前を感じさせる **far**（遠い）も同源です。また、「出所」を表す前置詞の **from** もさかのぼれば同源です。

接頭辞 re-

「後」「再」「返」「元に」「何度も」

　rear は「背部」や「後ろの」、レトロ (retro) は「復古調の」、さらに、**return** <元に (re) 回る (turn) > や **recover** や **refresh** <再び (re) 生き生きする (fresh) >、それからリバウンド (**rebound**) やリベンジ (**revenge** ＝仕返し) などを考えると「後ろへ」「再び」「返る」の感覚は持ちやすいです。また、**remember** の mem は **memory** (記憶) の mem だと思えばよいでしょう。

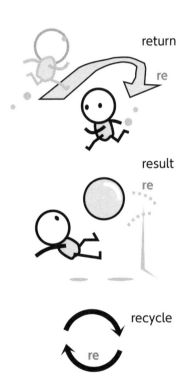

▶ **★return** [ritə́:rn]
元に (re) 回る (turn) >
➡ 動 戻る、返す

▶ **★record**
動 [rikɔ́:rd]　名 [rékərd]
再び (re) 心に (cord) 留める
➡ 動 記録する　名 記録

▶ **★remember** [rimémbər]
再び (re) 思う (mem)
➡ 動 覚えている、思い出す

▶ **★result** [rizʌ́lt]
跳ね (sult) 返って来る (re)
➡ 名 結果

▶ **★report** [ripɔ́:rt]
元へ (re) 運ぶ (port)
➡ 動 報告する　名 報告

▶ **recycle** [rì:sáɪk(ə)l]
再び (re) 回す (cycle)
➡ 動 再利用する

return
re

result
re

recycle
re

　それに加えて re には「何度も繰り返し」の意味があり、この感覚を加えると多くの語が理解できるようになります。**respect** (何度も見る＝尊敬 p.155)、**resource** (何度も湧き出る＝資源)、**reputation** (何度も考えられる＝評判)、**research** (何度も探す＝研究)、**resident** (何度も座る＝住人) など。

接頭辞 in-

「中へ」「中で」「入る」

前置詞の **in** の感覚があるので「中へ」「中で」の意味のinの理解は難しくないと思います。**income** は＜入って (in) 来る＞「収入」。**invite** は「招き入れる」、**invent** は＜頭に入って (in) 来る (vent)＞から「発明する」。心の中に形作るのが **inform**「知らせる」です。en も同様の意味で、m、b、pの唇を閉じて発音する音の前ではimやemの形になります。

▶ **income** [ínkʌm]
　入って (in) 来る (come)
　➡ 名 収入

▶ **input** [ínpùt]
　中に (in) 置く (put)
　➡ 名 入力

▶ ★**invite** [ɪnváɪt]
　招き (vite) 入れる (in)
　➡ 動 招待する

▶ ★**invent** [ɪnvént]
　頭に入って (in) 来る (vent)
　➡ 動 発明する

▶ ★**information** [ìnfərméɪʃ(ə)n]
　心の中に (in) 形作る (form) もの
　➡ 名 情報

▶ ★**enjoy** [ɪndʒɔ́ɪ]
　喜び (joy) の中に入れる (en)
　➡ 動 楽しむ

invite

in

in

inform
invent

enjoy

en

enclose は＜中に (en) 閉じる (close)＞「同封する」、**encourage** は＜勇気の中に入れる＞「勇気づける」、**invade** は＜中に行く＞「侵略する」。また、「上にのしかかる」ような意味のinもあります；**impress** ＜押しつける＞「印象づける」、**impulse** ＜上から押す＞「衝撃」、**impose** ＜上に置く＞「課す」など。

接頭辞 ex-

「外へ」「外で」「出る」

in（中）の逆で「外」を意味するのは ex。**exit**（出口）を考えれば覚えられます。exit は＜外へ（ex）行く（it）＞の意味です。**express** は内なるものを表情やことばによって外へ出すことで「表現する」。**interior**（インテリア＝室内）の反対は **exterior**（外観、外部）です。ex の x が抜けて e だけになる場合もあります。e から「外」つまり「出」をイメージするのは簡単です。下の絵を見てください。

▶ **exit** ［éɡzət］
　出て (ex) 行く (it)
　➡ 名 出口　動 退出する

▶ **export** 名 ［ékspɔːrt］　動 ［ɪkspɔ́ːrt］
　外に (ex) 運ぶ (port)
　➡ 名 輸出　動 輸出する

▶ **exclude** ［ɪksklúːd］
　出して (ex) 閉じる (close)
　➡ 動 除外する

▶ ★**express** ［ɪksprés］
　外に (ex) 押し (press) 出す
　➡ 動 表現する、表す

▶ **exterior** ［ɪkstíəriər］
　外 (ex) 側
　➡ 名 外観、外側

▶ **emotion** ［ɪmóuʃ(ə)n］
　外へ (ex) 動く (mot)
　➡ 名 感情

ex
exit

ex
express

e だけになったものは、**emit**（放出する）、**event**（出て来るもの＝出来事）、**evidence**（外に見える (vid) もの＝証拠）、**elect**（選び (lect) 出す (ex) ＝選挙で選ぶ）。**strange**（奇妙な）は、e がないので違うように見えますが、＜通常の範囲 (range) の外 (extra)＞という成り立ちで e が消失したものです。
消しゴムの **eraser** は e (x) ＋ raser の成り立ちで、raser の部分はカミソリの razor と同源です；つまり「削って外に出すもの」です。

接頭辞 dis-,de- 「離れる」「反対」「出」

　disやdeは「離れる」「除去する」や「反対」「下がる」を意味する接頭辞です。**discount**（割引）は旅行に行く人は覚えたい単語だと思います。基本形はdis-ですが、fの音の前ではdifに変わるなど形が変化します。deも同じように「離れる」を意味します。音が似ている日本語の「出す」「出（で）」と関連させると覚えやすいです。これも説明の中では基本形のdis-で表します。

discover

discount

dis

distant

dis

different

dis

▶ ★**discover** [dɪskʌ́vər]
　cover が外れる (dis)
　➡ 動 発見する

▶ ☆**discount** [dískaunt]
　勘定 (count) から引き去る (dis)
　➡ 名 割引　動 割り引く

▶ **disorder** [dɪsɔ́ːrdər]
　順序 (order) を欠く (dis)
　➡ 名 不調、無秩序、混乱

▶ **discourage** [dɪskə́ːrɪdʒ]
　勇気 (courage) を除去する (dis)
　➡ 動 やめさせる、落胆させる

▶ **distant** [díst(ə)nt]
　離れて (dis) 立つ (stant)
　➡ 形 遠い

▶ ★**different** [dífr(ə)nt]
　離れて (dis) 運ぶ (fer)
　➡ 形 違う、異なる

difficult と **different** をつい取り違えてしまう人もいると思いますが無理もありません；どちらも同じ接頭辞dif (dis) を持ちます。difficultは＜作る (fic) から離れている (dis)＞なので「作りにくい」つまり「難しい」の意味となります。最近では災害 (**disaster**) という語が頻繁に使われますが、これは＜星 (astro = star) から離れた (dis)＞という成り立ちです。**ease**（容易さ、気楽さ）の反対はこのdisがついた **disease**（病気）です。

接頭辞 trans- 「越える」「移る」

　trans-は「越える」を意味する接頭辞です。「乗り換え」の意味でなじみのある **transfer** の fer は「運ぶ」の意味で、transfer には「転勤」の意味もあります。飛行機の「乗り継ぎ」の **transit** の it は exit の it で「行く」の意味。＜越えて運ぶ（port）＞のが **transport**（輸送）。形（form）が移り変わるのが **transform**。電柱の上にあるバケツみたいな「トランス」は **power transformer**（変圧器）です。

▶ **transfer** [trǽnsfə́:r]
　越えて (trans) 運ぶ (fer)
　➡ 動 名 移動 (する)

▶ **transport** [trǽnspɔ́:rt]
　越えて (trans) 運ぶ (port)
　➡ 動 名 輸送 (する)

▶ **transform** [trǽnsfɔ́:rm]
　越えて (trans) 形作る (form)
　➡ 動 一変させる

▶ **translate** [trǽnsleɪt]
　(語を) 越えて (trans) 運ぶ (late)
　➡ 動 翻訳する

▶ **traffic** [trǽfɪk]
　越えて (tra) 為す (fic)
　➡ 名 往来、交通

▶ **★tradition** [trədíʃ(ə)n]
　越えて (tra) 渡される (di) もの (tion)
　➡ 名 伝統

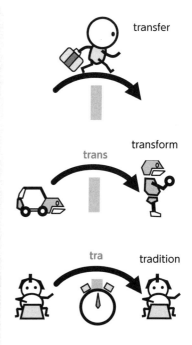

transfer

transform

trans

tra

tradition

ラジオで流れる「交通情報」は **traffic information**。車のトランスミッション（**transmission**）は＜力を変換して伝える (運ぶ＝mit) もの＞です。トランスジェンダー（**transgender**）については、p.134を見てください。

接頭辞 in-, un-

「ない」

　impossible（不可能な）、**incredible**（信じられない）などの否定の意味の in です。否定や逆の意味を表します。「否」の字を「いな（ina）」と読むことで覚えられます。もともと否定の意味は "n" にありますが、頭に母音をつけて in や un として使われるようになったようです。in は「中へ」の in と形が同じである上、後続の音により形が im や ir や il などに変わるので最初は見つけるのが少し難しいかもしれません。

▶ **incorrect** ［ìnkərékt］
　正しく（correct）ない（in）
　➡ 形 間違った、不正確な

▶ **infinite** ［ínfɪnət］
　限り（fin）がない（in）
　➡ 形 無限の

▶ **individual** ［ìndɪvídʒu(ə)l］
　分け（divide）られない（in）
　➡ 形 個々の、個人の

▶ **irregular** ［ɪrégjələr］
　規則的（regular）でない（in）
　➡ 形 不規則な、異常な

▶ **unlike** ［ʌnláɪk］
　似て（like）ない（un）
　➡ 前 〜と違って

▶ **undo** ［ʌndúː］
　する（do）の逆（un）
　➡ 動 取り消す

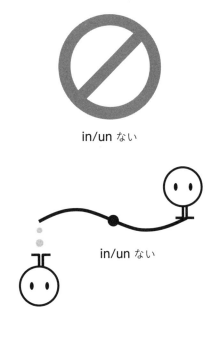

in/un ない

in/un ない

　なじみのある語の **independent** は **dependent**（依存している）の反対なので「独立している」。それから **unable**（できない）、**untouchable**（手出しできない）、**unconscious**（意識のない）。**undo** のように動詞の前につくと「逆」の意味になり、**unfold**（広げる）、**unload**（荷を下ろす）、**unwrap**（包みを開く）。"n" だけで否定の意味を持つ **neutral** は「どちらでもない」から「中立の」。

接頭辞 inter-

「〜の間」

　このinterは「〜の間」の意味です。**international**は＜国家（nation）と国家の間＞のことで、cityとcityをつなぐことが**intercity**です。**interchange**は＜相互に変える＞こと。**the Internet**はコンピュータの間をつなぐnetwork。「インタラクティブ」というカタカナ語を聞きますがこれは「対話などが双方向であること」を表します。**intersection**のsectは「切る」の意味（p.76, p.195）で「互いに（交差して）切る」なので「交差点」。

▶ ★**international** [ìntərnǽʃ(ə)n(ə)l]
国家（nation）の間（inter）の(al)(p.31)
➡ 形 国家間の、国際的な

▶ **intercity** [ìntərsíti]
都市（city）の間
➡ 形 大都市間の

▶ **interchangeable**
[ìntərtʃéin(d)ʒəbl]
相互に（inter）changeできる
➡ 形 互換性のある

▶ ★**the Internet** [íntərnèt]
inter + network
➡ 名 インターネット

▶ **interactive** [ìnt(ə)rǽktıv]
相互に（inter）active
➡ 形 双方向の

▶ **intersection** [ìntərsékʃ(ə)n]
互いに（inter）切る（sect）
➡ 名 交差点

international

the Internet

intersection

intercompanyは「会社間の」で，**intercontinental**は「大陸間の」の意味です。**interview**は「互いの間で見る（view）」ことから「面接」「会見」。話の「間に」入って邪魔するのが**interrupt**「じゃまする」で、**interval**は「合間」「間隔」ですね。

接頭辞 se-

「離れて」

　出現頻度は多くはありませんが、感覚として理解しやすい接頭辞で、「離れて」を表し、**separate**のseと覚えるとわかりやすいです。pareは「きちんと並べる」というような意味で、**separate**は「分ける」「別れる」。**secret**のcreは「分ける」の意味で、**secret**は「見せてよいものとは隔離する」と考えると理解しやすく、それを扱うのが**secretary**（秘書）です。**select**のlectは「選ぶ」。

▶ **separate**
　動 [sép(ə)reɪt]　形 [sép(ə)rət]
　離れて (se) 並べる (pare)
　➡ 動 分ける　形 離れた

▶ *secret** [síːkrət]
　離して (se) 分ける (cre)
　➡ 名 秘密

▶ *secretary** [sékrətèri]
　secret を扱う人
　➡ 名 秘書、秘書官

▶ **select** [səlékt]
　選んで (lect) 分ける (se)
　➡ 動 選ぶ

▶ *security** [sɪkjúərəti]
　気がかり (cure) から離れる (se)
　➡ 名 安全、警備

▶ **severe** [sɪvíər]
　容赦 (vere) から離れる (se)
　➡ 形 厳しい

separate

secret

secretary

security

　日本語で「秘書」というと庶務的な要素（**assistant**的な要素）を含みますが、**secretary**は「機密を扱う人」なので「秘書官」といった意味で使われます。**secure**や**security**は＜心配や気がかり (cure) から離れている (se) ＞ことで、「ガードマン」は**security guard**。**sure**（確信している）はもともとsecureが短くなったものです。

接頭辞 a-

「（〜の状態）で」

　a-の形はいくつかの接頭辞の異形になるのでどの意味なのかが識別しにくいこともありますが、ここでのa-は、前置詞のonと同源で、名詞や形容詞などの前にくっついてその状態を表すような語を作ります。**alive**は「live（生きている）状態で」、**awake**は「wake（目が覚める）状態で」、というような具合で形容詞や副詞や前置詞を作ります。

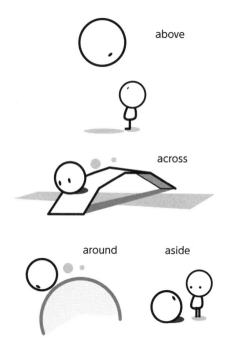

▶ ★**above** [əbʌ́v]
　a＋over＝上のあたりに
　➡ 前 副 〜の上に、上方に

▶ ★**among** [əmʌ́ŋ]
　a＋mong（混ざる）
　➡ 前 〜の間に、中に

▶ ★**away** [əwéɪ]
　ここから離れて道の途中
　➡ 副 （〜から）離れて

▶ ★**across** [əkrɔ́ːs]
　クロスして
　➡ 前 副 横切って、向こうに

▶ ★**around** [əráʊnd]
　丸（round）に沿って
　➡ 前 副 周囲に、囲んで

▶ **aside** [əsáɪd]
　side に
　➡ 副 脇に

above

across

around　　aside

aliveと**awake**のほかに状態を表すのが**asleep**「眠って」。**broad**は「広い」で**abroad**は「海外に（へ、で）」、**loud**は「声が大きい」で**aloud**は「声を出して」です。

接尾辞 -al

**名詞につけて
形容詞に**

　接尾辞の-alは性質を表す形容詞を作ります。「〜がある (al)」「〜なる」と思えば覚えやすいと思います；＜ origin (起源)「ある」＞**original** (最初の、元の)、＜ accident (偶然) なる＞**accidental** (偶然の)、＜ magic (魔術) なる＞**magical** (不思議な) といったふうに。use (使用) + alの**usual** は「いつもの」で、さらに副詞を作る -ly をつけると **usually** となって「いつもは」「普通は」。

▶ ★**real** [rí:(ə)l]
　(「虚」でない) 実 (re) + al
　➡ 形 実際の、本当の

▶ **formal** [fɔ́:rm(ə)l]
　形 (form) + al
　➡ 形 正式の、形式ばった

▶ ★**traditional** [trədíʃ(ə)n(ə)l]
　伝統 (tradition) + al
　➡ 形 伝統の、伝統的な

▶ ★**usually** [jú:ʒu(ə)li]
　使用 (use) + al + ly
　➡ 副 普通は、いつもは

▶ ★**actually** [ǽk(t)ʃu(ə)li]
　実行動 (act) + al + ly
　➡ 副 実際に、本当は

▶ **visual** [víʒu(ə)l]
　見る (vis) + al
　➡ 形 視覚の

form　　al
　　　　ある

tradition　　al
　　　　　　ある

global warming (地球温暖化) の **global** は＜ globe (地球) + al ＞で「地球の」。**central** は＜ center (中心) + al ＞で、「中心の」「中心的な」です (p.54)。

接尾辞 -ful

名詞につけて
形容詞に

　「いっぱい」の意味の**full**が後ろにつく形の形容詞もたくさんあります。
beautyがfullなら**beautiful**（美しい）、powerがfullなら**powerful**（強い）、
help（助け）がfullなら**helpful**（役に立つ）、care（注意）をfullにする状態が
careful（気をつけて）です。

wonderful

colorful

painful

▶ ★**wonderful** [wΛ́ndərf(ə)l]
驚き（wonder）がfull
➡ 形 素晴らしい

▶ ★**colorful** [kΛ́lərf(ə)l]
色彩（color）がfull
➡ 形 色彩豊かな

▶ ★**useful** [júːsf(ə)l]
使い道（use）がfull
➡ 形 便利な

▶ **harmful** [háːrmf(ə)l]
害（harm）がfull
➡ 形 有害な

▶ **successful** [səksésf(ə)l]
成功（success）がfull
➡ 形 成功した、好結果の

▶ **painful** [péɪnf(ə)l]
痛み（pain）がfull
➡ 形 つらい、痛い

　「マインドフルネス」は**mindful**（心がいっぱいな）という形容詞のあとに名詞を
作るnessという接尾辞がついている**mindfulness**で、「今現在に起こってい
ることに注意を向けて心を満たすという心理的な過程」のことです。

接尾辞 -able 「〜できる」

　be able to は「〜ができる」の意味ですが、この able は動詞のあとにつく接尾辞になって「〜ができる」の意味になります。ible の形になることもあります。食にする花「エディブルフラワー」は edible flower；ed は eat（食べる）のことです。ポータブル（portable）は＜運ぶ（port）ことができる＞。possible は＜持つ（pos）ことができる＞で、ly がついた副詞の possibly は「ひょっとして」。

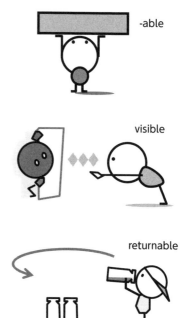

-able

visible

returnable

▶ ★**possible** [pá(:)səb(ə)l]
　持つ（pos）ことができる（able）
　➡形 可能な

▶ **reasonable** [rí:z(ə)nəb(ə)l]
　道理（reason）がつけられる（able）
　➡形 筋の通った、まあまあの

▶ **ability**（この able は語根）[əbíləti]
　能力がある状態（ty）
　➡名 能力

▶ **visible** [vízəb(ə)l]
　見る（vis）ことができる（able）
　➡形 見ることができる

▶ **unbelievable** [ʌnbɪlí:vəb(ə)l]
　信じ（believe）られ（able）ない（un）
　➡形 信じられない

▶ **returnable** [ritə́:rnəb(ə)l]
　返す（return）ことができる（able）
　➡形 回収可能な

countable は「数えることができる」、**uncountable** は「数えることができない」；辞書の記号のCは countable noun（可算名詞）のCで、UはUncountable noun（不可算名詞）のUです。

接尾辞 -ous

名詞につけて
形容詞に

danger（名：危険）が多い dangerous（形：危険な）。fame（名：名声）が多い famous（形：有名な）のように、ous という接尾辞は形容詞を作ります。覚え方は「ous はおおし（多し）」です。

▶ ***famous** [féɪməs]
名声 (fame) が多し (ous)
➡ 形 有名な

▶ ***dangerous** [déɪn(d)ʒ(ə)rəs]
危険 (danger) が多し (ous)
➡ 形 危険な

▶ **nervous** [nə́ːrvəs]
神経 (nerve) が多し (ous)
➡ 形 不安で、神経質な

▶ **cautious** [kɔ́ːʃəs]
注意 (caution) が多し (ous)
➡ 形 注意深い

▶ **curious** [kjúəriəs]
気 (cure) が多し (ous)
➡ 形 好奇心が強い

▶ **humorous** [hjúːm(ə)rəs]
ユーモア (humor) が多し (ous)
➡ 形 ユーモアのある

famous

dangerous

poisonous は＜毒 (poison) 多し＞で「有毒な」。**outrageous** は outrage（暴力、激怒）が多しなので「ひどい」「邪悪な」。

接尾辞 -y

**名詞につけて
形容詞に**

　「赤い」「青い」など、日本語で形容詞を作る「い」。英語でも似たような音の-yが名詞の後について形容詞を作ります。「〜っぽい」というような感じになります。例えば**noisy**（うるさい）は「noiseい→noisy」という感じです。**rainy**（雨の）、**cloudy**（曇りの）、**snowy**（雪の）、**windy**（風の強い）などたくさん挙げられます。

▶ ★**angry** [ǽŋgri]
怒り (anger) ＋ y
➡ 形 怒った

▶ **handy** [hǽndi]
手ごろ、手近 (hand) ＋ y
➡ 形 便利な

▶ ☆**noisy** [nɔ́izi]
騒音 (noise) ＋ y
➡ 形 うるさい

▶ **skinny** [skíni]
皮 (skin) ＋ y
➡ 形 やせた、体にフィットした

▶ ☆**tasty** [téisti]
味 (taste) ＋ y
➡ 形 風味のある、おいしい

▶ ★**healthy** [hélθi]
健康 (health) ＋ y
➡ 形 健康的な、健全な

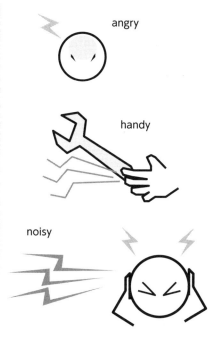

angry

handy

noisy

dust（ダスト、埃）っぽいのが**dusty**（埃だらけの）で、**dirt**（土・泥）っぽいのが**dirty**（汚れた）；dirtyは土や泥で汚れている以外に、お皿やコップに食べ残しがついている「汚れた」や、「不正な」「下品な」のような汚れた状態も表します。**roomy**には「広々とした」の意味がありますが、volumeにyをつけた日本語でいう「ボリューミー」という言い方は英語にはありません。

接尾辞 -ory, -ery, -ary, -arium 　場所

　長い単語も覚えやすくなるので知っていると便利な接尾辞です。-ory、-ery、-aryや-ariumは「場所」を表します。**library** の libr は「本」で<本のある場所 (ary) >なので「図書館」。**baker** は **bake**（パンを焼く）人 (er) ですが、bakery は「パンを焼く場所」つまり「製パン所」です。**laboratory**（実験室、研究所）は「ラボ (lab)」と呼ばれることもありますが、labor（働く）＋場所 (ory)です。

▶ ☆**factory** [fǽkt(ə)ri]
作る (fact) 場所 (ory)
➡ 名 工場

▶ **planetarium** [plæ̀nətéəriəm]
星 (planet) ＋場所 (arium)
➡ 名 プラネタリウム

▶ ☆**library** [láɪbrèri]
本 (libr) の場所 (ary)
➡ 名 図書館

▶ ☆**aquarium** [əkwéəriəm]
aqua (水) の場所 (arium)
➡ 名 水槽、水族館

▶ **pantry** [pǽntri]
食料 (pan) の場所 (ry)
➡ 名 食料置き場

▶ **lavatory** [lǽvətɔ̀ːri]
手を洗う (lava) 場所 (ory)
➡ 名 トイレ、洗面所

factory

library

　工場は工場でも、ワイン工場は **winery**、ビール醸造所は **brewery** でどちらにも ery がつきます。「そこに ary (在り)」で覚えられるかもしれません。なお、**lavatory** の lava はラベンダー (**lavender**) の lav と同じで、洗濯の香りづけや浴用の香水として使われたのが lavender です。

接尾辞 -(e)ry

集合的な名詞を作る

　ryは「〜の類（たぐい）」といったように、集合的な名詞を表すことがあります。これは日本語の「類（るい）」と似ているので覚えやすいです。女性の好きなジュエリー（**jewelry**）は「**jewel**（宝石）の類（ry）」。やはり女性が好きな**confectionery**は「甘いお菓子の類（ry）」。**toiletries**（洗面化粧品）は複数形ですが「化粧品の類（ry）」。

▶ **jewelry** ［dʒúːəlri］
宝石の類（ry）
➡ 名 宝石類

▶ **toiletries** ［tɔ́ilətriz］
化粧品の類（ry）
➡ 名 洗面化粧品

▶ **confectionery** ［kənfékʃənèri］
甘い菓子の類（ry）
➡ 名 甘い菓子類

▶ **stationery** ［stéiʃənèri］
文具の類（ry）
➡ 名 文房具、筆記用具

▶ **machinery** ［məʃíːn(ə)ri］
機械（machine）の類（ry）
➡ 名 機械類、機械装置

▶ **greenery** ［gríːn(ə)ri］
緑の類（ry）
➡ 名 緑樹

jewelry

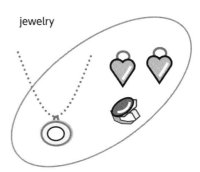

stationery

　これらは集合的に扱われているので、「〜の類」の意味で使われる場合には数えられず、単数扱いです（toiletriesを除く）。**jewel**は数えられる名詞（可算名詞）としてひとつふたつと数えられる「宝石」の意味で使い、**jewelry**は数えられない名詞（不可算名詞）として集合的に「宝石類」の意味で使います。jewelryのスペルは"ry"のあたりが難しく見えますがjewel＋ryの理屈がわかってしまうと簡単です。

接尾辞 -fy

動詞を作る

　modify や clarify など、おしりに -fy がつく動詞がたくさんあります。これはあとで出て来る fac、fec という語根 (p.74) の接尾辞の形で「〜化する」という感じの意味です。「simple にする」のが **simplify** (簡単にする)、「just にする」のが **justify** (正当化する) のようになります。

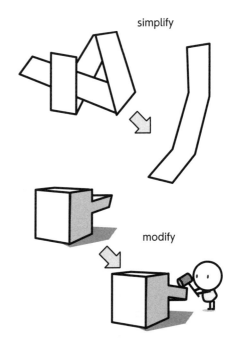

simplify

modify

- ▶ **simplify** [símplɪfàɪ]
  simple にする
  ➡ 動 簡単にする
- ▶ **modify** [má(:)dɪfàɪ]
  形 (mode) にする
  ➡ 動 修正する
- ▶ **clarify** [klǽrəfàɪ]
  clear にする
  ➡ 動 明らかにする
- ▶ **justify** [dʒʌ́stɪfàɪ]
  正しい (just) にする
  ➡ 動 正当化する
- ▶ **purify** [pjúərɪfàɪ]
  純粋 (pure) にする
  ➡ 動 浄化する
- ▶ **identify** [aɪdéntəfàɪ]
  同一にする
  ➡ 動 同一であるとみなす

形容詞を作る -fic も同源です。さらに名詞化する -fication もあります。例えば **simplification** (単純化)、**modification** (変更、修正)、**clarification** (明確化)。身分証を表す ID は **identification** の略です。

PART ②

暮らしの中の
カタカナ語から学ぶ

　Part 2とPart 3では、「中途半端な知識」である「エイゴ」を理解して、その語と語源でつながった語をいっしょに覚えていきます。

　まずPart 2では、暮らしの中で目にしたり耳にしたりする「エイゴ」を挙げてその語源的な成り立ちを説明し、それと同じ語根が使われている英単語を並べてみました。

　語源的な成り立ちのイメージがつかみやすいような図解的イラストを添えたので、なるべくイメージで感じ取りながら覚えてください。接頭辞・語根・接尾辞の成り立ちを意識しながら感じるのが効果的です。

　例えば、デパートに買い物に行ったら、departmentと関連した語を思い出してみて、レシートを受け取るときにはreceiptに関連した語を思い出します。カートを押して出口を出るときには、cartやexitに関連した語を思い出して復唱します。そうやって繰り返すことで、生活が学習の場に変わります。

　各ページで説明した語を入れた例文を一番下に入れたので、単語の使い方の参考にしてください。

暮らしの中の
カタカナ語から学ぶ

買い物

　スーパーやデパートやコンビニに出かけると、様々なカタカナ語を目にしますね。それらの意味を知って、ついでに関連した英単語も学びましょう。買い物でその語を目にするたびに語彙が定着していきます。

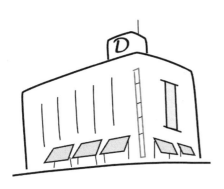

department store (デパート) [→p.43]
　☆apartment [→p.43]
　part [→p.43]
　★party [→p.43]
　participate [→p.43]
　particularly [→p.43]

　★**store** (ストア) [→p.46]
　　storage [→p.46]
　　rest [→p.46]
　　★cost [→p.46]

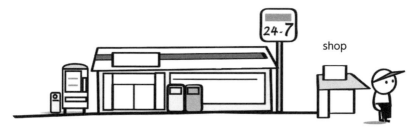

shop

☆**convenience store** (コンビニエンスストア) [→p.44]
　inconvenience [→p.44]
　event [→p.44]
　★adventure [→p.44]
　avenue [→p.44]

★**supermarket**（スーパー）
commercial（商業の）

★**price**（プライス）[→p.50]
　precious [→p.50]
　appreciate [→p.50]

credit（クレジット）
[→p.51]
　★record [→p.51]
　accord [→p.51]
　core [→p.51]
　incredible [→p.51]

cash（キャッシュ）
[→p.52]
　cashier [→p.52]
　★case [→p.52]
　★keep [→p.52]

☆**entrance**（入口）[→p.41]
　★enter [→p.41]
　★entry [→p.41]

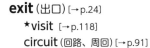

exit（出口）[→p.24]
　★visit [→p.118]
　circuit（回路、周回）[→p.91]
　initial（初めの）

cart（カート）[→p.48]
　★carry [→p.48]
　★charge [→p.48]
　★carpenter [→p.48]

receipt（レシート）[→p.47]
　★receive [→p.47]
　accept [→p.47]
　except [→p.47]

entrance は「入口」。**enter** は動詞「入る」で、**entry** は名詞で「入場」「入学」「参加」などの意味があります。逆に「出口」は **exit**；ex は「外」で it は「行く」の意味です。**initial** は in（中に）＋ it（行く）＋ ial で「中に入る」から「最初の」「語頭の」。

★**gift** (ギフト) [→p.42]
  ★give [→p.42]

★**service** (サービス) [→p.55]
  ☆serve [→p.55]
  servant [→p.55]
  ★dessert [→p.55]

customer (カスタマー) [→p.53]
  ★custom [→p.53]
  customs [→p.53]
  ☆costume [→p.53]

★**present** (プレゼント) [→p.56]
  ☆absent [→p.56]
  represent [→p.56]
  ★interest [→p.56]

★**center** (センター) [→p.54]
  ★central [→p.54]
  concentrate [→p.54]
  eccentric (風変わりな) [→p.54]

co-op (コープ) [→p.42]
  cooperation [→p.42]
  ★operation [→p.129]

ギフト (**gift**) は「贈りもの」；基本動詞の**give**「与える」も同源なので覚えやすいです。
生協のコープ (co-op) は**cooperative** (共同の) の略です；これは**cooperation** (協力) のファミリー語で、ということはcoを外した**operation** (手術、活動、操作) といっしょに覚えられます。

デパート depart

part
部分

　百貨店の意味のデパートは**department store**で、ment は名詞を作る接尾辞。de は「離れる」を意味する接頭辞 (p.25) で、<部分 (part) が離れる>から **depart** は「分離する」。列車などの **departure** は「出発」です (p.112)。de の代わりに「向かって」の意味の ad がつく **apart** は「離れて」「別々に」でその名詞形が **apartment** です。**party** は「分離した集団」の意味から「政党」「一団」そして「宴会」。**participate** の cip は **receipt** の ceip と同じで「取る」、つまり<部分 (part) を取る (cip)>から「参加する」。

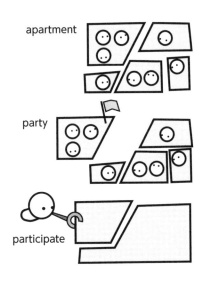

- ▶ ☆**apartment** [əpάːrtmənt]
  部分に分けること
  ➡ 名 アパート (集合住宅)
- ▶ ★**party** [pάːrti]
  分離した集団
  ➡ 名 政党、一団、宴会
- ▶ **partner** [pάːrtnər]
  部分 (part) を分け合う人 (er)
  ➡ 名 連れ合い、パートナー
- ▶ **participate** [pɑːrtísɪpèit]
  部分 (part) を取る (cip)
  ➡ 動 参加する
- ▶ **particularly** [pərtíkjələrli]
  他とは分離した性質を持つ
  ➡ 副 特に

apartment

party

participate

department は、会社などの組織では「部門」を意味し、百貨店では「売り場」を意味します；例えば **toy department** は「おもちゃ売り場」。
「過去分詞」のことを p.p. と略すことがありますがこれは **past participle**。
PM2.5 の PM は **particulate matter** (微小粒子状物質)。

例文

> She had a <u>party</u> at her <u>apartment</u>. Her school friends, and
> business <u>partners</u> all <u>participated</u>.　彼女はアパートでパーティーを
> 開いた。学校の友だち、そしてビジネスパートナーたち全員が参加した。

コンビニ ☆convenience ven 来る

「コンビニ」は **convenience store**。形容詞の **convenient** は「便利な」。con は「いっしょに」を表し (p.17)、ven は「来る」。いっしょについて来る便利な存在のイメージを持っています。互いがいっしょに集まって来て行われるのが **convention**（集会）で「会場」は **venue**。ものを売りに来る行商人が **vender** で、行商人に取って代わった売る機械が **vending machine**（自動販売機）です。**event** (p.24) は＜ ex ＋ vent ＞で「出て来ること」だから「出来事」；日本語の「イベント」（催し物）のほかに「重大事件」も表します。

convention

avenue

ad

ex event

- ▶ **convenient** [kənvíːniənt]
  いっしょに (con) 来る (ven)
  ➡ 形 便利な、都合のよい
- ▶ **inconvenience** [ìnkənvíːniəns]
  in (否定) ＋ convenience
  ➡ 名 不便、不都合
- ▶ **convention** [kənvénʃ(ə)n]
  いっしょに (con) 来る (ven)
  ➡ 名 大会、集会
- ▶ **avenue** [ǽvənjùː]
  向かって (ad) 来る (ven) 道
  ➡ 名 大通り、並木道
- ▶ ☆**event** [ɪvént]
  出て (ex) 来る (ven) こと
  ➡ 名 出来事、重大事件、催事

ad（向かって＝p.16）がつくと **adventure**（冒険）で、そこから ad の要素が消失した形が「ベンチャー企業」の **venture** です。
「交通の便」など、「行き来」のことを「便（べん）」というので、「交通の ven（便）」、**convenient** は「ven 利（便利）」というふうに覚えたらよいと思います。

例文

The <u>convenience</u> store on the <u>avenue</u> apologized for the <u>inconvenience</u> caused by the opening <u>event</u>. 大通り沿いのコンビニ店は、開店イベントで生じた不便について謝罪した。

ディスカウント ☆discount

count
勘定する

　disは「離れて」「反対」を意味しますので**discount**は「勘定から引く」。それとは反対に＜向かって (ad) 勘定する＞の形の**account**は「口座」で、それに「人」を表すantをつけた**accountant**は「会計士」。近ごろ「アカウンタビリティ」などという語を聞きますが、これは「説明責任」；**accountable**は事情などを「説明できる」ことを表します。熟語で**count on**「当てにする」がよく使われますが「勘定に入れる」つまり「計算に入れて積み上げる」と捉えると理解ができます。

▶ **☆count** [kaunt]
勘定する
➡ 動 数える、当てにする

▶ **☆account** [əkáunt]
向かって (ac) 勘定する
➡ 名 考慮、口座

▶ **accountant** [əkáunt(ə)nt]
accountする人 (ant)
➡ 名 会計士

▶ **accountability**
[əkáuntəbíləti]
当てにできること (ability)
➡ 名 説明責任

▶ **count on**
勘定を上に重ねる
➡ 動 当てにする、信頼する

discount

dis

account

ad

accountant

on

count on

熟語では**take into account**「考慮に入れる」がありますが、これを「勘定に入れる」というふうに捉えると**count on**とも結びつけて理解できます。

例文

They <u>counted</u> on their company's <u>accountant</u> to get a good <u>discount</u> for the larger order.　彼らはより大口の注文での大きな割引を得るために会社の会計士を当てにした。

ストア ★store

「商店」を意味する **store** はもとは「蓄える」の意味。もともと「小屋」を意味した **shop** よりも大きな店を表すことがあるのはそのためです。**storage** は「保管場所」。<再び (re) 蓄える>のが **restore** で、食事をして元気を回復する場所が **restaurant** と考えるとつながります。この sta は「立つ」つまり **stand** の意味で (p.122)、「売店」「屋台」の意味でも **stand** は使われます。**rest** は「後ろに (re) 立つ」から「残り」です。「費用」の意味で知られる **cost** は「得るものと失うものが<いっしょに (co) 立つ (st) >から「代償」の意味が原義です。

- ▶ **storage** [stɔ́:rɪdʒ]
  蓄える (stor) 場所 (age)
  → 名 保管、保管場所
- ▶ **restore** [ristɔ́:r]
  再び (re) 建てる (store)
  → 動 戻す、修復する
- ▶ ★**restaurant** [rést(ə)r(ə)nt]
  回復させる場所 (ant)
  → 名 レストラン
- ▶ **rest** [rest]
  後ろ (re) に立つ (st)
  → 名 残り
- ▶ ★**cost** [kɔ:st]
  いっしょに (co) 立つ (st)
  → 名 費用、対価

storage

rest

cost

rest に「向かって」の意味の ad がつくと **arrest**（逮捕する、食い止める）。なお、「休み」の **rest** は語源が異なります。ストアではなく「屋台」を表す **stall** はもとは「小屋」で、語源は違うものの「立つ」と同じ感覚で覚えられます。

例文

It <u>cost</u> over 100,000 yen to <u>restore</u> the <u>storage</u> room I damaged. The <u>restaurant</u> owner paid 70,000yen and I paid the <u>rest</u>. 私が損傷してしまった貯蔵室の修繕には10万円以上かかった。レストランのオーナーが7万円払い、私が残りを支払った。

レシート receipt

cept, ceive
取る、つかむ

　レジでレシート **receipt** を受け取ります。receipt の re は「手前へ」ceipt は「取る」で、成り立ちは **receive**（受け取る）と同じです。「外に」を意味する ex（p.24）がついた **except** で「つかんで出す」感じで「除外する」。「向かって」の ac（p.16）がついた **accept** は「向かってつかむ」から「受け入れる」。**reception** は「受け入れる」ことで「受付」や「歓迎の宴会」の意味があります。料理のレシピ（**recipe**）も同源で、作り方の秘伝を受け継ぐ発想をすれば理解しやすいです。

receive

accept

except

▶ **receipt** [rɪsíːt]
　取り戻す (re)
　➡ 名 領収書

▶ ★**receive** [rɪsíːv]
　取り戻す (re)
　➡ 動 受け取る

▶ **accept** [əksépt]
　向かって (ad) つかむ
　➡ 動 （快く）受け取る

▶ **except** [ɪksépt]
　つかんで外へ (ex)
　➡ 前 除外する、〜以外は

▶ **concept** [ká(:)nsept]
　すっかり (con) つかむ
　➡ 名 概念

　球技で、間に入ってボールを奪うのは **intercept**。「離す」の意味の de がつく **deceive** は「奪い取る」→「だます」。

例文

I did not <u>receive</u> a <u>receipt</u> from the cashier. I <u>accepted</u> their apology for the mistake.　私はレジ係からレシートを受け取らなかった。その間違いに対する彼らの謝罪を私は受け入れた。

カート cart

car
くるま

　スーパーへ行くとカートがあって重宝します。もともとは「荷馬車」の意味だった**cart**の**car**は「車」。車で運ぶことから**carry**（運ぶ）で、運ぶ人は**carrier**（運送業者、保菌者）。馬車の運搬路の意味だった**career**は「経歴」「職業」の意味で使われます。**charge**はもともと「荷車に荷を積む」を意味したもので、「課する」「課金する」さらに「充電する」などの意味があります。また、車輪を作る職人が**carpenter**（大工）のもともとの意味です。

▶ **★carry** [kǽri]
荷車で運ぶ
➡ 動 運ぶ、携帯する

carry

▶ **carrier** [kǽriər]
carry する人 (er)
➡ 名 運ぶ人、輸送業者

carrier

▶ **career** [kəríər]
車の通った跡
➡ 名 経歴、職業

▶ **★charge** [tʃɑ́ːrdʒ]
荷を積む
➡ 動 課する、課金する

charge

▶ **★carpenter** [kɑ́ːrp(ə)ntər]
車輪を作る人 (er)
➡ 名 大工

「車」の意味の語根 car は cur や cycle (p.91) とともに「くるくる」「ころころ」の感じでとらえると理解しやすいです。

例文

> The <u>carpenter</u> <u>charged</u> the electric <u>cart</u> to <u>carry</u> his tools.
> その大工は、彼の工具を運ぶために電気カートをチャージ（充電）した。

クオリティ　quality

quo
どれくらい

　「品質」を意味する **quality** の文字を商店や商品表示で目にします。quo は「何」「どれくらい」を意味するもので、「どの程度の質?」の見方では **quality**、「どの程度の量?」だと **quantity** になります。quo はさらに「求める」を意味するので、答えを「求める」**question** や **request** などにもつながります。「ドラゴンクエスト」のクエスト (**quest**) もこの quo に由来します。

▶ **quantity**　[kwɑ́(:)ntəti]
　どれくらいの量
　➡ 名 量

▶ ★**question**　[kwéstʃ(ə)n]
　求める (quest) ＋こと (ion)
　➡ 名 質問

▶ **request**　[rikwést]
　再び (re)　求める
　➡ 動 要求する

▶ **quote**　[kwout]
　(何番目の章かに) 言及する
　➡ 動 引用する

▶ **quest**　[kwest]
　求めること
　➡ 名 探求、諸国遊歴の旅

quantity
quality

question
request

quest

この語根 quo はさかのぼれば印欧祖語の kwo につながり、興味深いのは k を h に置き換えると **how** や **who** へのつながりが見えたり、**what** や **when** などの他の疑問詞にも似ているのが見えてくることです。また、漢字の「究」や「求」の読み「キュー」と関連させると覚えやすくなります。

例文

> **The customer requested more information about the quality of the product before purchasing a large quantity.**
> その顧客は、大量購入をする前に、その製品の品質に関する、より多くの情報を要求した。

プライス ★price

pric, prec
価格、価値

price は「価格」。preci は価格や価値を表します。＜価値が多し (ous) ＞の
precious は「貴重な」。「向かって」の意味の ad がつくと＜価値をつける
(ad) ＞ **appreciate** になって「真価を認める」から「評価する」「ありがたく思
う」の意味になります。ほかにも、**prize** が「賞」で、**praise** が「褒める」。どれ
も「価値」につながります。**interpret** は＜価値を間に入って伝える (inter) ＞
から「解釈する」「通訳する」。**interpreter** は「通訳者」で **interpretation** は「解
釈」。

▶ **precious** [préʃəs]
価値の多い (ous)
➡ 形 貴重な、大事な

▶ **appreciate** [əpríːʃièit]
ad ＋ prec ＝価値をつける
➡ 動 正しく認める、感謝する

▶ ★**prize** [praɪz]
価値
➡ 名 賞、褒美

▶ **praise** [preɪz]
価値あるものを褒める
➡ 動 褒める

▶ **interpret** [ɪntə́ːrprət]
価値を間に入って (inter) 伝える
➡ 動 通訳する、解釈する

prize

interpret

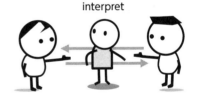

priceless は「(価値をつけられないほどに) きわめて高価な」。**price-tag** は「値
札」ですね。

例文

**The group underlineappreciated the interpreter's assistance and
thanked her for sharing her precious time.** そのグループは通訳の
助けに感謝し、彼女の大切な時間を割いてくれたことに感謝した。

クレジット credit

cred, cord
信頼、心

　クレジットカードの**credit**は「信用」。否定を表す接頭辞inと「できる」を表す接尾辞ibleをつけると**incredible**「信じられない」。credの部分は「心(heart)」を意味する語にさかのぼり、**core**(芯、核心)や**courage**(勇気)とつながります。＜courageが多し(ous)＞だと**courageous**(勇気のある)。**core**は「コアなメンバー」「コアな部分」のcoreです。**record**は＜心に再び戻る(re)＞で「記録する」「記録」。「向かって」のadの異形acがついた**accord**は＜ハートが近づく＞で「調和」「一致」。

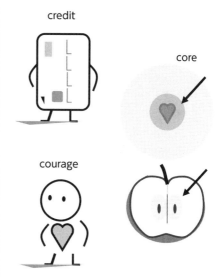

credit

core

courage

▶ **incredible** [ɪnkrédəb(ə)l]
　in(否定)＋cred＋ible(できる)
　➡ 形 信じがたい

▶ **core** [kɔːr]
　心
　➡ 名 芯、中心部、核心

▶ **courage** [kə́ːrɪdʒ]
　心の状態(age)
　➡ 名 勇気

▶ ★**record**
　動 [rikɔ́ːrd]　名 [rékərd]
　心(cord)に　再び戻る(re)
　➡ 動 記録する　名 記録

▶ **according to**
　調和する情報源を言う
　➡ 〜によれば

courageにenをつけると**encourage**(勇気づける)で、「離れる」「反対」のdisをつけると**discourage**(落胆させる、思いとどまらせる)。「オフレコ」は**off the record**(記録に留めない)。

例文

> According to the record, an incredibly courageous man was the core of the group.　記録によれば、信じられないほど勇気のある人がそのグループの中心にいた。

キャッシュ cash

cas, cap
捕まえる

　現金はキャッシュ。このキャッシュ、実は同源語が非常に多いです。狩猟の時代、獲物の頭をつかんで捕獲してそれを保持する一連のプロセスがこれらの語源と関係しているようです。獲物を追いかけるのが**chase**、捕まえるのが**catch**。捕らえた獲物を入れておくものが**case**（箱）で、入れておく行動が**keep**（保つ）と考えると覚えやすいです。日本でいう「レジ係の人」は**cashier**（※発音に注意）です。

→シェフ（p.61）、キャップもご参照ください。

▶ **chase** [tʃeɪs]
　獲物を追いかける
　➡ 動 追う

▶ ★**catch** [kætʃ]
　獲物を捕まえる
　➡ 動 つかむ、捕らえる

▶ ★**case** [keɪs]
　保持する場所
　➡ 名 箱、ケース

▶ ★**keep** [kiːp]
　保持する
　➡ 動 保つ

▶ **cashier** [kæʃɪər]
　cash する人（er）
　➡ 名 会計係、レジ係

chase
catch
case
keep

case にはここで示した「箱」の意味の case と、「場合」を表す case のふたつがあります（p.73）。

例文

The cashier chased the strange dog and caught it. He kept it in a case until the animal control officer arrived.

レジ係はその奇妙な犬を追いかけて捕まえた。彼らは動物管理局員が到着するまで犬をケースに入れておいた。

カスタマー　customer custom 慣れる

「カスタマー・センター」の **customer** は「顧客」。**custom** は「すっかり慣れている」の意味のラテン語が語源で、「習慣」「風習」「流儀」を意味します。そして **customer** が「常連客」→「顧客」ということです。ad（向かって）がついた **accustomed** は形容詞で「慣れている」。「しっくりくる自分用」の意味では **custom-made**「特注の」。**customs** は「税関」「関税」。**costume** は「習慣となった服装」で「衣装」「ふん装」「仮装」。製品を自分用にするのがカスタマイズ（**customize**）です。

▶ ★**custom** [kʌ́stəm]
完全に慣れている
➡ 名 習慣

▶ **accustomed** [əkʌ́stəmd]
習慣がついている（ad）
➡ 形 慣れている

▶ **custom-made**
その人に合わせて作られた
➡ 形 特注の

▶ **customs** [kʌ́stəmz]
習慣的な徴収
➡ 名 税関

▶ ☆**costume** [kɑ́(:)stu:m]
習慣となった服装
➡ 名 衣装、ふん装

customer　accustomed　custom-made　costume

「コスプレ」は "**costume play**" の意味でもともとは和製英語ですが、今では "**cosplay**" として英語となっています。狭義では「アニメやゲームのキャラクターに扮すること」で、最近では「特定の職業の着衣を着ること」の意味ととらえる場合もあるようです。

例文

In Japan, we are <u>accustomed</u> to wearing <u>custom-made</u> traditional <u>costumes</u> at festivals.
日本では、特注の伝統的な衣装を祭りで着ることに慣れている。

センター ★center

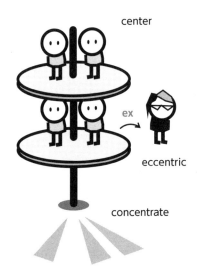

center
中心

　こんどは「カスタマー・センター」の「センター」。**center**の意味はおなじみだと思います。幾何学的「中心」のほか、産業・文化などの「中心地」や「活動の拠点、中心」などを表します。せっかくなので仲間の語も覚えましょう。形容詞を作る接尾辞の-alをつけると**central**（中心の）。ex（外）をつけて**eccentric**は＜中心から外れる＞で「風変わりな」。con（いっしょに）と動詞を作る接尾辞-ateをつけると＜いっしょに芯に＞の**concentrate**「集中する」。

▶ **★center** [séntər]
中心
➡ 名 中心、中央　動 中心に置く

▶ **★central** [séntr(ə)l]
center ＋ al（形容詞）
➡ 形 中心の

▶ **eccentric** [ɪkséntrɪk]
center から外れた (ex)
➡ 形 一風変わった　名 変人

▶ **concentrate** [ká(:)ns(ə)ntrèɪt]
すっかり (con) center に集まる
➡ 動 集中する

▶ **self-centered**
自分 (self) 中心の
➡ 形 自己中心的な

center

ex

eccentric

concentrate

　ちなみに電源プラグの「コンセント」は和製英語で、**concentric plug**（同心のプラグ）が短くなったものから来ているようです。いわゆる「差し込み口」は outlet ＜物を外に (out) ＋出してやる (let) ＞といいます。

例文

An eccentric-looking person was walking down the central aisle of the library. So I couldn't concentrate on studying.
見た目が風変わりな人が図書館の中央通路を歩いていた。だから私は勉強に集中できなかった。

サービス ★service

serve
奉仕する

　serve は「奉仕する」「仕える」から「食事を提供する」の意味にもなります。レストランの給仕係は **server** で、「仕える人」として「召使い」は **servant**。server は取り分け用の道具も表します。「すっかり」の意味の de がつく **deserve** は＜すっかり奉仕する＞から「するに値する」の意味に。食事のあとのデザート（**dessert**）は＜食事のサービスをやめる（食事のあとに出す）＞から。

- ▶ ☆**serve** [sə́:rv]
  仕える
  ➡ 動 供する、給仕する、勤務する
- ▶ **server** [sə́:rvər]
  提供する (serve) 人・もの (er)
  ➡ 名 給仕係、サーバー
- ▶ **servant** [sə́:rv(ə)nt]
  仕える (serve) 人 (ant)
  ➡ 名 召使い
- ▶ **deserve** [dizə́:rv]
  すっかり (de) 奉仕する (serve)
  ➡ 動 値する、ふさわしい
- ▶ **dessert** [dizə́:rt]
  給仕 (serve) を離れる (de)
  ➡ 名 デザート

serve

server

dessert

de

　service には「公益事業」「バスなどの運行」「修理」「勤務」「兵役」などさまざまな意味があり、「拝礼」もそのひとつ。**morning service** は朝食のメニューではなく「朝の拝礼」ですので、海外旅行の際は勘違いに注意を。

例文

　The chief <u>server</u> has <u>served</u> customers for 30 years. She <u>deserves</u> to be awarded a bonus.　給仕係のチーフは顧客に 30 年間仕えた。彼女はボーナスを受けるのにふさわしい。

プレゼント ＊present

sen, ess
居る

　preは「前」でしたね（p.19）。sentは「居る」と知れば＜前に出す＞で**present**が「贈りもの」だと理解できます。さらに＜前に居る＞と解釈すれば「出席して」「現在の」の意味につながります。「プレゼン」は**presentation**のことです。sentに「離れて」の意味のabがついた**absent**は「欠席の」。reには「強調」の意味もあって、**represent**は＜はっきり前に出す＞で「表す」「代表する」。

present

absent

represent

interest

- ▶ ☆**absent** [ǽbs(ə)nt]
  離れて (ab) 居る (sent)
  ➡ 形 欠席して

- ▶ **represent** [rèprizént]
  はっきり (re) 前に (pre) 居る (sent)
  ➡ 動 表す、代表する

- ▶ **representative** [rèprizéntətɪv]
  represent する（もの）
  ➡ 名 代表者　形 代表する

- ▶ ＊**interest** [ínt(ə)rəst]
  気持ちが間に (inter) 居る (est)
  ➡ 名 関心

- ▶ **essence** [és(ə)ns]
  居るもの
  ➡ 名 本質

interestは、ものを形容する形容詞だと**interesting**で、感情を表す形容詞だと**interested**で、これらは中学の最初の方に出て来る語です。

例文

He was not interested in becoming the group's representative. He was even absent from the first meeting.

基本的に彼はそのグループの代表になることに興味がなかった。彼は最初の会合にさえ欠席した。

デューティー duty

du, deb
負う

duty-free は「免税の」；**duty** はこの場合は「関税」ですが一般には「義務」「職務」の意味です。du、deb は「負う」の意味で、**debt** は「借金」「負債」「恩義」；つまり「借りているもの」です。「デビットカード払い」というのがありますが、その **debit** は「(帳簿などの)借方」のことで、**debit card** は、預金口座につながった決済用カードのこと。**due** は「〜予定」「〜はずで」「期限が来て」のような訳語がありますが、どれも「当然〜のはず/べき」の意味です；**due date** は「(支払)期日」。

> ▶ **duty** [djúːti]
> 負うべきこと
> ➡ 名 義務、職務、仕事、関税
>
> ▶ **debt** [det]
> 借りているもの
> ➡ 名 借金、負債、恩義
>
> ▶ **debit** [débət]
> 借りているもの
> ➡ 名 (帳簿などの)借方
>
> ▶ **due** [djuː]
> 借りている
> ➡ 形 支払われるべき、はずで
>
> ▶ **due to**
> (原因に)負うている
> ➡ 〜のせいで

duty

debt

交通機関の遅れなどに関する電車内の英語の掲示を見ると "**due to an accident**"「事故によって」のように **due to** がしばしば使われているのがわかります。

例文

Due to an accident, she was not able to complete her <u>duty</u> by the <u>due</u> date. 事故のせいで彼女は自分の仕事を期日までに完了することができなかった。

その他覚えておきたい
買い物の単語と覚え方

★pay

➡️「払う」。もともとは「なだめる」の意味から来ていて、**peace**（平和）と同源の語です。「投資がペイしない」は「出と入が釣り合わない」つまり「採算が合わない」を意味しますね。

pay

★spend

➡️「（時間や金）を費やす」。ex + pend に由来しますが頭が取れて spend の形になりました。pend は p.86 で示すように「吊る」感じなので吊り秤（ばかり）をイメージすると「価値あるものを外に (ex) 費やす」ことをイメージしやすいです。

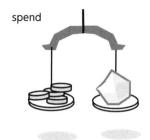

spend

☆expensive

➡️「高価な」。spend と同様の成り立ちですがこれには ex が残っているのでわかりやすいです。ive は形容詞にする接尾辞です。

expensive

reasonable

➡️「（値段が）手ごろな」。**reason** は「理由」；この reas の部分は漢字の「理」ととらえるとつかみやすいです。reasonable は「理にかなった」→「お値打ちの」「手ごろな」。

★cheap

➡️「安っぽい」。reasonable とは違って、しばしば「安かろう悪かろう」の「安い」です。

★sale

➡️「販売」の意味の他に「特売」の意味もあります。動詞の形が ★**sell**（売る）です。

sale

暮らしの中の カタカナ語から学ぶ

 外食

　外食した先でも英単語を覚える機会はたくさんあります。目にしたり耳にしたりする語の意味と成り立ちを知って、関連した英単語も学びましょう。外食するたびに語彙が定着していきます。

☆**chef**（シェフ）[→p.61]
　chief [→p.61]
　achieve [→p.61]
　★captain [→p.61]
　★capital [→p.61]

menu（メニュー）[→p.63]
　minimum [→p.63]
　minor [→p.63]
　★minute [→p.63]
　minister [→p.63]

★**order**（オーダー）[→p.64]
　disorder [→p.64]
　ordinary [→p.64]

subordinate（部下）
[→p.64]

cap (キャップ) [→p.62]
　capacity [→p.62]
　occupy [→p.62]
　occupied [→p.62]
　occupation [→p.62]

★**uniform** (ユニフォーム) [→p.72]
　unit [→p.60]
　unique [→p.60]

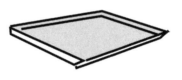

★**value** (バリュー) [→p.67]
　valid [→p.67]
　available [→p.67]

★**set** (セット) [→p.66]
　site [→p.66]
　situation [→p.66]
　nest [→p.66]
　seat [→p.66]

tray (トレイ) [→p.65]
　★**tree** [→p.65]
　★**true** [→p.65]
　trust [→p.65]
　truth [→p.65]

レストランではほんとうに多くのカタカナ語が見られます。わずらわしくても、学習のチャンスと捉えましょう。

uniform (ユニフォーム＝ひとつのおそろいの形) のuniはラテン語由来で「1」「ひとつ」のことで英語のoneに相当します；**unit** (ユニット＝ひとかたまり)、**unique** (ユニークな＝ひとつしかない) などのuniです。

シェフ chef

chief, cap
頭

　料理長を表す **chef** は英語の **chief** に相当するフランス語からの借用語です。cap と同様に「頭（かしら）」の意味です。集団の「長」を chief といい、会社の CEO は Chief Executive Officer の略。その **chief** に「向かって」の ad がつくと **achieve** ＜頭（頂点）に達する＞で「到達する」です。同源で cap の形となったものには仲間がたくさんあります；**captain** は「集団の頭（かしら）」、**capital** は「頭の」から形容詞では「主要な」「頭文字」の意味、名詞では「首都」の意味があります。これらは **cash** (p.52) のところで紹介した語の仲間です。

▶ ☆**chef** [ʃef]
コック長（フランス語）
➡ 名 料理長、コック

▶ **chief** [tʃiːf]
頭；chef から
➡ 形 最高位の、主要な　名 長

▶ **achieve** [ətʃíːv]
頂点 (chief) に達する (ad)
➡ 動 達成する、成し遂げる

▶ ★**captain** [kǽpt(ə)n]
頭 (capt) の人 (ain)
➡ 名 船長、キャプテン

▶ ★**capital** [kǽpət(ə)l]
頭 (cap) ＋の (al)
➡ 形 主要な　名 頭文字、首都

chef

achieve

「大文字」は **capital letter** で「首都」は **capital city**。
日本語で頭に似た野菜は「かぶら」＝「かぶ」。「兜（かぶと）」「かぶる」も頭に関係します。古い日本語で頭は「こうべ」で、秋田の方言では「こっぺ」と言うそうです。これらが英語の cap と音が似ているのははたして偶然でしょうか？

例文

With the new <u>chef's</u> leadership, the restaurant <u>achieved</u> their business goal.
新しいシェフのリーダーシップで、レストランは事業目標を達成した。

キャップ cap

cap
頭、捕らえる

　キャップは「帽子」や「ふた」。「雨合羽（あまがっぱ）」のカッパは「外套」を表すポルトガル語cappaに由来し **cap** と語源は同じです。シェフ、キャッシュと同様に頭に関係する語です。レシートのceipt (p.47) も、もとは同じで「頭をつかんで捕まえる」。捕まえるのが動物の「頭 (cap)」で、捕らえる動作は **capture**。収容できる頭数は **capacity**。能力は **capability**。頭に似た野菜が **cabbage** というのも面白いですね。**occupy** のocは「向かって」の意味のobの異形で **occupy** は「占領する」。トイレの「使用中」は **occupied**；「空き」は **vacant** (p.95)。

> ▶ **capture** [kǽptʃər]
> 捕らえる
> ➡ 動 捕らえる
>
> ▶ **capacity** [kəpǽsəti]
> 捕まえて置ける大きさ
> ➡ 名 容量、収容能力（キャパ）
>
> ▶ **occupy** [ɑ́(ː)kjəpài]
> 向かって (ob) 捕まえる (cap)
> ➡ 動 占領する、占有する
>
> ▶ **occupied** [ɑ́(ː)kjəpàid]
> 占有された
> ➡ 形 使用中の、占領された
>
> ▶ **occupation** [ɑ(ː)kjəpéiʃ(ə)n]
> （心と時間を）占有するもの
> ➡ 名 職業

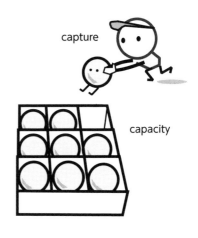

capture

capacity

捕らえられている状態から「逃れる」のが **escape**；es は ex つまり「外へ」のことで、外套をつかまれてそれを脱ぎ捨てて逃げる様子に由来するようです。

例文

All the seats were quickly <u>occupied</u>. The number of fans exceeded the <u>capacity</u> of the auditorium.
すべての座席がすぐに埋まった。ファンの数がホールの収容能力を超えた。

メニュー menu

min
小さい

献立表の **menu** は＜小さく（細かく）書かれたもの＞。「小さい」はミニスカートの mini と同源です。最上級に相当するのが **minimum** で比較級に相当するのが **minor**。反対語はそれぞれ **maximum** (p.140) と **major** (p.140) です。**minus** は＜より小さくする＞で、**mince** は細かい刻んだ肉＝挽肉（メンチ）。hour（時間）を細かくしたのが **minute**。「議事録」の **minutes** は＜小さい書き物＞から。**minister**（大臣）はもとは「小者の召使」だから驚きです。

▶ **minimum** [mínɪməm]
  最も小さい
  ➡ 形 最小の、最低限の

▶ **minor** [máɪnər]
  より小さい
  ➡ 形 比較的小さい

▶ ★**minute** [mínət]
  細かく刻んだ
  ➡ 名 分

▶ **minute** [maɪnjúːt]
  細かく刻んだ
  ➡ 形 微小な

▶ **minister** [mínɪstər]
  小さい仕える者
  ➡ 名 大臣、牧師

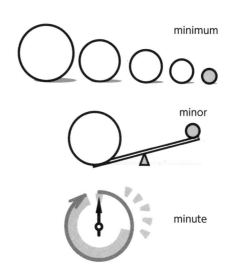

minimum

minor

minute

minority は「少数派」で、反対の「多数派」は **majority**。**minus** は「より小さい」から「マイナスの」。**ministry** は「省」や「庁」。**minister** に ad がついた形の **administrator** は＜向かって（ad）仕えさせる人＞で「管理者」や「事務官」。

例文

The system administrator said the issue was minor and the system would recover in a minute. 問題は小さく、システムはすぐに回復するだろうと、システム管理者は言った。

オーダー *order

注文をするのが **order** ですが、order の原義は「階級」「順序」。野球の「バッティングオーダー」に絡めて覚えられます。否定の dis がつく **disorder** は「無秩序」(p.25)。**ordinary** は＜普通の順序＞で「平凡な」。逆に平凡から外れる (extra) だと **extraordinary**（並外れた）。「下」を意味する sub がつくと＜序列が下＞の **subordinate**（部下）。熟語の **in order to** ～は「～するために」なのですが、「コトの順序」ととらえれば理解しやすいです。

▶ **disorder** [dɪsɔ́:rdər]
秩序 (order) なし (dis)
➡ 名 不調、無秩序、混乱

▶ **ordinary** [ɔ́:rd(ə)nèri]
順序通りの
➡ 形 普通の、平凡な

▶ **extraordinary** [ɪkstrɔ́:rd(ə)nèri]
普通の外側 (extra)
➡ 形 並外れた

▶ **subordinate** [səbɔ́:rdɪnət]
序列が下 (sub)
➡ 形 下位の　名 部下

▶ **out of order**
秩序 (order) の外 (out of)
➡ 故障している

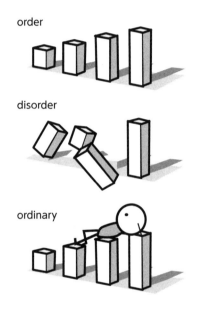

order

disorder

ordinary

服装の組み合わせの意味の「コーデ」は「コーディネート」**coordinate**；＜いっしょに (co) ＋秩序 (order) ＋ nate (なす) ＞で「うまく調整する」「調和させる」の意味です。

例文

He <u>ordered</u> an <u>ordinary</u> omelet but its size was <u>extraordinary</u>.
彼は普通のオムレツを注文したが、そのサイズは並外れていた。

トレイ tray

tr
木、真、信

　ファストフードのお店などで食べ物を運ぶ **tray** の語源は **tree** と同じ。**true**（真実の）もゲルマン人の樹木信仰にさかのぼるようで、**trust**（信用する）も同様のようです。漢字でいうと「真（まこと）」や「信」のようなイメージを持つことができると思います。木の枝や動物の毛や髪を「トリムする」の **trim** もたどれば同じ語源に行き着きます。**tree** に結びつけられるというのは意外ですが、意外だからこそ覚えやすいです。こんどトレイを運ぶときや髪を整えるときにでも、これらの語を思い出してみましょう。

▶ ★**tree** ［triː］
木
➡ 名 木

▶ **trust** ［trʌst］
信、真
➡ 名 信頼　動 信用する

▶ ★**true** ［truː］
信、真
➡ 形 本当の、真実の

▶ **truth** ［truːθ］
信、真
➡ 名 真実

▶ **trim** ［trɪm］
木を整える
➡ 動 （草木や髪などを）刈り込む

tree

trust

trim

　ついでに木に関わる語を並べると；**trunk**（幹、自動車のトランク）、**stem**（茎、幹）、**branch**（枝、支店、支局）、**root**（根、根源、起源）、**stump**（切り株）。**branch** と似ていますが「朝昼兼用の食事」のブランチは **brunch**（breakfast ＋ lunch）。「木材」は **wood** で **the woods** は「森」「林」。

例文

I <u>trusted</u> **my son and let him** <u>trim</u> **the bonsai** <u>tree</u>.
私は息子を信用して盆栽の木の手入れをさせてあげた。

セット *set

set
座らせる、置く

　「バリューセット」の**set**は名詞で「一式」、動詞では「置く」で、もとは**sit**と同じで「座らせる」。upがつくと**upset**（動転させる）。「ずっと座る」のが**settle**（定住する）。ウェブサイトの**site**は「現場」や「場所」。「状況」のことを「シチュエーション」といいますがこれもこの仲間で**situation**。**nest**は＜鳥が座る場所＞で「巣」。「座る」のイメージでわかりやすいのはほかに**session**（会合、会、セッション）や**seat**（席、シート）、**saddle**（サドル）があります。

▶ **upset** ［ʌpsét］
ひっくり返る
➡ 動 動転させる
　 形 取り乱して

▶ **settle** ［sét(ə)l］
ずっと座る
➡ 動 定住する、解決する

▶ **site** ［saɪt］
置かれた場所
➡ 名 土地、場所

▶ **situation** ［sìtʃuéɪʃ(ə)n］
置かれている場所・状態
➡ 名 立場、状況

▶ **nest** ［nest］
鳥の座る場所
➡ 名 巣

upset

site

seat

situation

presideは＜前に(pre)座る＞で「取り仕切る」「議長を務める」で、さらに★**president**はそれを行う人、つまり「大統領」「社長」「会長」となります。ちなみに「セットメニュー」は英語ではcomboやvalue mealと言います。

例文

He was <u>upset</u> by the <u>situation</u> and left the <u>site</u> before the <u>session</u> finished.
彼はその状況に腹を立て、会が終わる前にその場をあとにした。

バリュー ★value

val, vail
価値、強い

　「バリューセット」の **value** は「価値」。もとは「強い」の意味で、形容詞の **valuable** は「価値のある」。パスポートやクーポンなどが「有効な」は **valid** で、否定の in がつくと **invalid**（無効な）。日本語にするといろいろな意味になるので覚えにくい **available** は「価値がある状態にある」ということから「入手可能な」や「体が空いている」のような意味になります。**prevail** は＜強さがほかより前（pre）にある＞から「普及している」「説き伏せる」。

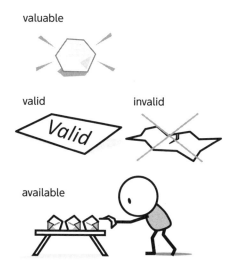

> ▶ **valuable** ［vǽljəb(ə)l］
> 価値（value）＋ある（able）
> ➡ 形 高価な　名 貴重品
>
> ▶ **valid** ［vǽlɪd］
> val な状態（id）
> ➡ 形 有効な
>
> ▶ **invalid** ［ínv(ə)ləd］
> valid でない（in）
> ➡ 形 無効な
>
> ▶ **available** ［əvéɪləb(ə)l］
> val な状態にある
> ➡ 形 利用可能な
>
> ▶ **prevail** ［prɪvéɪl］
> val が他より前（pre）にある
> ➡ 動 普及している、勝ち取る

valuable

valid　　　invalid

available

　equal は「同じ」という意味ですが、**value** の要素を加えた **equivalent** は＜価値が同じ（equi）＞なので「同等の」の意味です。

例文

I was told that a <u>valid</u> ticket for the event was not <u>available</u> but I <u>prevailed</u> and finally found one.
そのイベント（に参加するため）の有効なチケットはないと言われたが、うまくいってついに1枚見つけた。

テイスト ★taste

test, tact
試す、触る

「味」「風味」や「嗜好」「好み」などを表す **taste** は、もとは「触れて試す」の意味であったものが舌と口で「試す」ことを言うようになったようです。**tasty** は「美味しい」。元となった「試す」は「証」も意味する **test** という語で、＜いっしょに (con) 証明する＞のが **contest** (コンテスト)。＜人前で (pro) 証言する (test)＞ **protest** は「抗議する」；それをする人 (ant) である **Protestant** はキリスト教の新教徒。そもそも **test** のもとは「触れる」の意味の tact で、＜いっしょに (con) 触れる＞のが **contact** (接触)。

▶ ★**taste** [teist]
触れて試す (test)
➡ 名 味　動 味がする、味をみる

▶ ★**test** [test]
試す、立証する
➡ 名 試験　動 試験する

▶ ☆**contest** [ká(:)ntest]
いっしょに (con) 証明する (test)
➡ 名 競争、コンテスト

▶ **protest**
名 [próutest]　動 [prətést]
人前で (pro) 証言する (test)
➡ 名 抗議　動 抗議する

▶ ☆**contact** [ká(:)ntækt]
いっしょに (con) 触れる
➡ 名 接触　動 連絡を取る

taste

contest
con

contact
con

delicious は「飛びぬけて美味しい」という表現で、もともと very の意味を含んでいるので普通は very delicious とはなりません。普通に「美味しい」なら **tasty** や **nice**。くだけた言い方で **yummy**。「食感」を表すには「手触り」と同じ **texture** が使われます。

例文

Join the wine <u>tasting</u> <u>contest</u> and <u>test</u> different country samples. ワインの試飲会に参加して違う国の見本を試しなよ。

暮らしの中の
カタカナ語から学ぶ

③ ファッション

ファッションの用語でも、わかったようなわからない語がたくさんあります。これらを覚えると、英単語までわかってきます。大きな学習のチャンスです。

fashion（ファッション）
[→p.74]
    ★factory [→p.74]
    ★fact [→p.74]
    effect [→p.74]

apparel（アパレル）
[→p.75]
    ★appear [→p.75]
    ★disappear [→p.75]
    transparent [→p.75]

formal（フォーマル）
[→p.72]
    informal [→p.72]
    ★information [→p.72]
    transform [→p.72]
    platform [→p.72]
    ★uniform [→p.72]

casual（カジュアル）
[→p.73]
    ★chance [→p.73]
    ★case [→p.73]
    ★accident [→p.73]
    incident [→p.73]

★**skirt**（スカート）[→p.76]
★**shirt**（シャツ）[→p.76]
☆**scarf**（スカーフ）
    ★sharp [→p.76]
    ★score [→p.76]
    scar [→p.76]

scissors（はさみ）
[→p.76]

pleat (プリーツ)
[→ p.77]
　★simple [→ p.77]
　triple [→ p.77]
　multiple [→ p.77]
　complex [→ p.77]

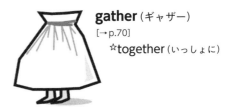

gather (ギャザー)
[→ p.70]
　☆together (いっしょに)

flare (フレアー)
[→ p.70]

border (ボーダー)
[→ p.70]
borderline
borderless

「プリーツ」という語は女性にはなじみがあるようです。プリーツスカートというのは、山折り谷折りのひだ (プリーツ＝**pleat**) を繰り返し折り重ねたスカートのことです。この ple の部分が「折り重ね」を表し、それを含む英単語がたくさんあるのでまとめて覚えられます。

折り重ねではなくてしわを寄せ集めたようなスカートがギャザースカート。このギャザー (**gather**) は「集める」の意味です。

プリーツがなくて裾が広がったのがフレアースカート。このフレアー (**flare**) は「炎」の意味で、その形から「徐々に広がる形状のスカートやズボン」を表すようになりました。

「ボーダー柄」の **border** の原義は「縁」や「枠」。縁を強調するように平行にライン状や帯状の縁取りをした柄がボーダー柄です。**border** は「境界」、「国境」も表します。ボーダーライン (**borderline**) は境界上の「きわどい線」で、ボーダーレス (**borderless**) は「国境のない」を意味します。

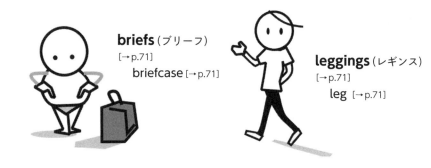

briefs (ブリーフ)
[→p.71]
briefcase [→p.71]

leggings (レギンス)
[→p.71]
leg [→p.71]

low-rise (ローライズ)
[→p.71]
☆rise [→p.71]
☆raise [→p.71]

fastener (ファスナー)
fasten [→p.71]
★fast [→p.71]

suspender
(サスペンダー)
suspend [→p86]

男性下着のブリーフは複数形 **briefs** で、形容詞の **brief** は「短い」「簡潔な」を意味し、名詞では簡潔にした「要約」「概要」「指令」を表し、それを入れるケースが **briefcase** (書類カバン) です。

レギンスは英語では **leggings** で、**leg** は「脚」。かつてはレッグウォーマー (**leg warmer**) というのが流行りましたから、そこから **leg** という語は覚えやすいです。テーブルの脚も **leg** です。

ローライズ (**low-rise**) のパンツ；**low** は「低い」で **rise** は自動詞で「上がる」。他動詞の形は **raise** で「上げる」のほか「育てる」の意味もあります。"**I was born and raised in Tokyo.**" (私は東京で生まれ育ちました) は自己紹介でよくいう言い方です。

日本語でいう「チャック」は **zipper** または **zip fastener**。**fastener** はホック・スナップなどを含む留め具を指し、**fasten** するもの (er) のことで、**fasten** は留め具などを「留める」「締める」、「(しっかり) 固定する」。飛行機では "**Fasten your seatbelt**" と指示されます。形容詞や副詞の **fast** の原義はこの「しっかり」で、そこから「速く」「速い」の意味になりました。

フォーマル formal

form
形

form（形）に形容詞を作る接尾辞-alをつけたのがformal（公式の、正式の）で、否定のin-をつけるとinformal（非公式の、略式の）。＜心の中に (in) 形作る＞のがinform（通知する）でその名詞形がinformation（情報）。＜再び (re) 形作る＞はreform（改革する）。＜形を越えて行かせる (trans)＞のがtransform（一変させる）。

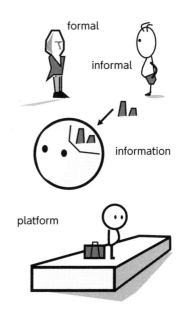

formal

informal

information

platform

▶ **informal** [ɪnfɔ́ːrm(ə)l]
形式的 (formal) でない (in)
➡ 形 形式ばらない、気楽な

▶ ★**information** [ìnfərméɪʃ(ə)n]
中に (in) 形作る (form) もの (ion)
➡ 名 情報

▶ **reform** [rifɔ́ːrm]
再び (re) 形作る (form)
➡ 名 改革　動 改善する

▶ **transform** [trænsfɔ́ːrm]
形 (form) を越えて行かせる (trans)
➡ 動 一変させる

▶ **platform** [plǽtfɔ̀ːrm]
平らな (plat) 形
➡ 名 プラットフォーム

★**uniform**（ユニフォーム）は「ひとつのおそろいの形」。uni-は英語のoneに相当するラテン語です。**conform**は＜いっしょに (con) 形を作る＞から慣習や法律などに「順応する」「従う」。

例文

To **conform** to the company's dress code, we have to wear the **formal uniform** at the **information** desk.
会社のドレスコード（服装規定）に従うため、インフォメーションデスク（案内所）では正式な制服を身につけなければならない。

カジュアル casual

cas
降って来る

「フォーマル」に対して**casual**（普段着の）。このcasは「降って来る」というような意味で、casualは「降りかかった」から「偶然の」。**chance**も同源で同様に「偶然」「可能性」「機会」。降りかかった事案が**case**（事例、場合）。「向かって (ob)」がついた**occasion**も「機会」「場合」。「向かって (ad)」がついた**accident**は「事故」で、「上に (in)」がついた**incident**は「事件」「出来事」。＜いっしょに (con) 起こる出来事＞が**coincidence**（偶然）です。

▶ ★**chance** [tʃæns]
　降りかかった
　➡ 名 可能性、機会

▶ ★**case** [keɪs]
　降りかかった
　➡ 名 事例、場合

▶ **occasion** [əkéɪʒ(ə)n]
　降りかかること
　➡ 名 場合、出来事

▶ ★**accident** [ǽksɪd(ə)nt]
　降りかかる
　➡ 名 事故、偶然

▶ **incident** [ínsɪd(ə)nt]
　落ちてくる
　➡ 名 出来事、事件

chance　case

accident　incident

caseには2種類あります。P.52のcaseは「捕まえる」「保持する」の仲間で「箱」を意味します。このページで説明するcaseは「落ちる」に由来し「事例」を意味します。

例文

Let's think about how to increase the <u>chance</u> of survival in <u>case</u> of an <u>accident</u>.
万一事故の際に生存の確率を高める方法を考えましょう。

ファッション fashion

fac, fec
作る、為す

　「流行」「ファッション」や「やり方」を意味する **fashion** は＜作られたもの＞の意味で、fac、fec は「行う」「作る」。**factory** の ory は「場所」を表す (p.36)ので＜作る場所＞から「工場」。**fact** は＜為されたこと＞で「事実」。**factor** は＜作る (fact) もの (or)＞で「要素」「要因」。入力に対して外に (ex) 作り出されるものが **effect** (効果、影響) で、「効率」が **efficiency**。＜完全に (per) 為された (fect)＞のが **perfect** (完全な) (p.85)。反対にだめな方は **defect** (欠陥)です。

- ▶ ☆**factory** [fǽkt(ə)ri]
  作る (fact) 場所 (ory)
  ➡ 名 工場
- ▶ ★**fact** [fǽkt]
  為されたこと
  ➡ 名 事実
- ▶ **factor** [fǽktər]
  作る (fact) もの (or)
  ➡ 名 要素、要因
- ▶ **effect** [ɪfékt]
  外に (ex) 作り出されるもの
  ➡ 名 効果、影響
- ▶ **efficiency** [ɪfíʃ(ə)nsi]
  出て来る率
  ➡ 名 効率

factory
fashion
fact
factor
effect

ほかにも、**profit** ＜ためになること＞ (利益)、**benefit** ＜良い (ben) 行い (fit)＞ (恩恵) などがあります。
fic、fig も「作る」を意味しますが、こっちは「見せかけの作り」の意味合いがあって、**fiction** は「作り話」つまり「小説」、**figure** は「人影」「数値」。

例文

> The <u>factory</u> produces a lot of <u>fashion</u> products <u>efficiently</u>. It is the <u>fact</u>, not <u>fiction</u>. 　工場は多くの流行製品を効率的に生産している。それは事実であり、作り話ではない。

アパレル　apparel

par, pear
見える

「アパレル産業」といえば洋装系の産業。**apparel**（衣服，衣料（品））のparは「見える」。**appear**は＜向かって（ad）見える＞から「現れる」の意味で、名詞形の**appearance**は「外見」。「反対」の意味のdisがつく**disappear**は「消える」。副詞を作る接尾辞lyがついた**apparently**は「見たところ」。＜越えて（trans）見える＞**transparent**は「透明な」。

▶ ***appear** ［əpíər］
見えてくる
➡ 動 ～に見える、現れる

▶ **appearance** ［əpíər(ə)ns］
appear + ance（名詞化）
➡ 名 外見

▶ ***disappear** ［dìsəpíər］
dis（反対）+ appear
➡ 動 見えなくなる

▶ **apparently** ［əpǽr(ə)ntli］
apparent + ly（副詞化）
➡ 副 たぶん～らしい、見たところ

▶ **transparent** ［trænspǽr(ə)nt］
越えて（trans）見える（parent）
➡ 形 透明な

appear

disappear

transparent

apparentlyには「たぶん～らしい」という「確証のないときの推測」を表す場合と、「実際はさておき外見上は」という見た目に基づく見解を表す場合の両方があります。

例文

<u>Apparently</u> the color <u>disappeared</u> and the liquid turned <u>transparent</u>. 見たところ、色は消えてその液体は透明になった。

スカート ★skirt

sh, sk, sc
切る

　shやsk、scなどには「切る」の意味があって、たくさんの仲間の語があります。「切ったもの（**shear**）を分け合う（**share**）」；「情報をshareする」「サラダをふたりでshareする」などと言いますね。切ったものは短くなって**short**。切ったものを使って**shirt**や**skirt**が作れます。切ったものの形は**sharp**ですね。**score**も同源で、大昔、羊を数えるときに数字の代わりに木版に刻み目をつけたことから来ています。**scar**は「傷」や「傷跡」；ライオンキングのキャラクターのScarは左目に傷があります。

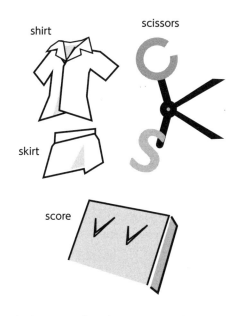

shirt

scissors

skirt

score

- ▶ **★shirt** [ʃəːrt]
  短く切られた服
  ➡ 名 シャツ
- ▶ **★sharp** [ʃɑːrp]
  切れた
  ➡ 形 鋭利な、急激な
- ▶ **★short** [ʃɔːrt]
  切り離して短くなった
  ➡ 形 短い、身長の低い
- ▶ **★score** [skɔːr]
  刻み目
  ➡ 名 得点、スコア
- ▶ **scar** [skɑːr]
  切る
  ➡ 名 切り傷、傷跡

scissors（はさみ）も同源で、組織や場所を切る**section**（区分、部、課）や、胴体と手足の間に「切り込み」があるように見える意味で「虫」の**insect**も仲間。

例文

The <u>sharp</u> girl came up with an idea to get a high <u>score</u> on the handicraft contest, and <u>shared</u> it with her teammates. They made a <u>skirt</u> out of a <u>shirt</u>.
賢い少女は手芸コンテストで高い得点を取るアイデアを思いつき、それをチームメイトと共有した。彼らはシャツから切り出してスカートを作った。

プリーツ pleat

ple
重なる、折る

　pleatのpleは「重なる」「折る」の意味です。「ひとつ」のsin (p.172)がついた**simple**は「重なりがひとつ (sin)」なので「単純な」「単数の」。「2」を意味するduoがつくと**double**（二重の）で、「3」を意味するtriがつくと**triple**（三重の）。複数の意味のmultiがつくと**multiple**（複数の）、**multiply**（掛け算する）。＜いっしょに (con) ple＞だと**complex**（複雑な）や**complicated**（複雑な、難しい）。複数の映画館が集まった「シネコン」は**cinema complex**です。あわせて「アプリ」のところを見てください (p.161)。

▶ **★simple** [símp(ə)l]
　重なり (ple) がひとつ (sin)
　➡ 形 単純な

▶ **triple** [tríp(ə)l]
　3 (tri) 重の (ple)
　➡ 形 3倍の

▶ **multiple** [múltɪp(ə)l]
　複数の (multi) 重なりの (ple)
　➡ 形 多数の、複合の

▶ **complex** [kà(:)mpléks]
　いっしょに (con) 重なった (plex)
　➡ 形 複雑な、込み入った

▶ **complicated** [ká(:)mpləkèɪtɪd]
　いっしょに (con) 重なった (ple)
　➡ 形 複雑な、難しい

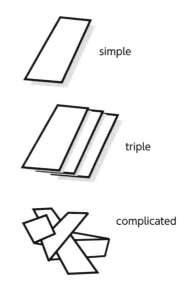

simple

triple

complicated

　レプリカ (**replica**) は「再び (re)　重ねる」から「複製」；重ねて写し取ることをイメージすれば覚えられます。ホテルのダブルルームは**double**の"D"で表し、ツインルームは"T"で表します。"W"の文字は本来"**double U**"であるので、日本のようにWの文字で"double"の意味を表すことはありません。

例文

A <u>complex</u> organization tends to make a <u>simple</u> thing <u>complicated</u>. 複雑な組織では簡単なことをややこしくしがちだ。

暮らしの中の カタカナ語から学ぶ

④ 美容・アクセサリー

美容と装飾品でのなじみの英語もたくさんあります。「アクセサリー」という語と「アクセス」という語を知っていても、それらが関連していることを知らないともったいないです。「プロセス」や「サクセス」も親戚。それをきっかけにもっとたくさんの英単語を覚えられます。

skin (肌)[→p.78]
　skinny [→p.78]

extension (エクステ) [→p.79]
　tension [→p.79]
　★attend [→p.79]
　attention [→p.79]

permanent (パーマ) [→p.85]
　★perform [→p.85]
　★perfect [→p.85]
　experience [→p.85]

pendant (ペンダント) [→p.86]
　depend [→p.86]
　★independent [→p.86]
　suspend [→p.86]
　★spend [→p.86]
　★expensive [→p.86]

manicure (マニキュア) [→p.97]
　pedicure (ペディキュア) [→p.99]

treatment (トリートメント)[→p.80]
foundation (ファンデーション)[→p.82]
concealer (コンシーラー)[→p.83]
waterproof (ウォータープルーフ)[→p.84]

accessory (アクセサリー) [→p.89]
　★process [→p.89]
　success [→p.89]
　access [→p.89]

スキン (**skin**) は「皮膚」「皮」。これはあとで説明する「チョキチョキ」の仲間です (p.195)。細いパンツのスタイルのことをスキニーといいますが、**skinny** は形容詞を作る接尾辞-y が **skin** について「体にぴったりの」の意味となり、人間を形容するときには「やせた」の意味になります。

エクステ　extension

tent, tend
延ばす、向ける

　髪の毛やまつ毛の「エクステ」は **extension**（動詞形は **extend**）。ex は「外へ」で tension は「延ばす」で「緊張」の意味を表す **tension** です。tent や tend は「延ばす」「向ける」を意味して、＜中に（in）心を向ける＞のが **intention**（意図）で、向かう方向が **tendency**（傾向）。ad（向かって）をつけると＜心や体が向かう＞から **attend** は「参加する」で **attention** は「注意」。**attend** の＜心や体を寄り添わせる＞から、**flight attendant**（客室乗務員）のように **attendant** は「世話人」「随行人」の意味になります。

▶ **tension** [ténʃ(ə)n]
　張った状態
　➡ 名 緊張

▶ **intention** [ɪnténʃ(ə)n]
　中へ (in) 心を伸ばすこと
　➡ 名 意図

▶ **tendency** [téndənsi]
　向かう傾向
　➡ 名 傾向

▶ ☆**attend** [əténd]
　向かって (ad) 伸ばす
　➡ 動 出席する

▶ **attention** [əténʃ(ə)n]
　心を向けて (ad) 伸ばすこと
　➡ 名 注意、注目

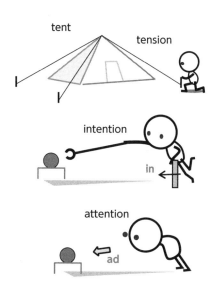

キャンプのテントを「張る」イメージを持てば tent の「伸ばす」「緊張」のイメージが持てます。

例文

The food exhibitor <u>intended</u> to draw the <u>attendees'</u> <u>attention</u> to his display in the <u>tent</u>.
食品展示者は、テント内の展示に対する参加者たちの注意を引こうとした。

トリートメント treatment ^{tr} 引く

髪の手入れの「トリートメント」。**treatment**のtreatはtract (p.103) と同じで「引く」。**treat**は＜引きまわす＞感じで「扱う」、さらに「処理する」「治療する」。**treatment**はその名詞形で「待遇」「処置」「治療」。**treaty**は＜話し合いで取り扱われた決めごと＞であり、＜いっしょに (con) 引き合った約束＞が**contract**（契約）です。**trace**は＜引かれたものの跡を追う＞から「辿る」。語源は違いますが形が似ている**trade**「貿易」「取引する」もついでに覚えられます。

▶ **★treat** [tríːt]
引きまわす
➡ 動 扱う、治療する

▶ **treaty** [tríːti]
交渉で取り扱われたこと
➡ 名 条約、取り決め

▶ **contract** [kά(ː)ntrækt]
引き合うこと
➡ 名 契約

▶ **trace** [treɪs]
引かれたものの跡を追う
➡ 動 辿る、書き写す

▶ **★trade** [treɪd]
通り路
➡ 名 動 取引（する）、貿易（する）

treat

contract

trade

「外」「出る」のexをつけると**extract**で「抜き出す」「抽出する」で、日本語の「エキス」はこの**extract**（抽出物）のことです。そこで思い出されるエキストラ・バージンオイルの**extra**は引っ張るとは関係なく「外側の」を意味して、「余分の」「特別の」から「特別上等の」の意味です。

例文

My boss told me how he wanted to <u>treat</u> the <u>trade</u> <u>contract</u> for our products. 私の上司は私たちの製品のための貿易契約をどのように扱って欲しかったかを私に話した。

コンパクト compact

pact
詰まる、縛る

　コンパクトカメラやコンパクトカー、それから化粧のコンパクト。**compact**のconは「いっしょに」でpactは「詰まる」「縛る」。いろいろな機能やものがぎっしり詰まったことを形容します。「詰める」の動作が**pack**で詰めたものが**package**（包み）。通信で使う情報のひとまとめは**packet**（パケット）です。＜上から（in）ギュッと押す＞感じが**impact**（衝撃）。＜ギュッとまとめた縛り（約束事）＞が**pact**（協定）。**page**（ページ）も書き物をギュッとまとめたものですね。コンパクトを使用の際にはこれらの語を思い出しましょう。

▶ **pack** [pǽk]
ぎっしり詰める
➡ 動 ぎっしり詰める　名 箱

▶ **package** [pǽkɪdʒ]
詰まったもの
➡ 動 包装する　名 包装

▶ **impact** [ímpækt]
上から（in）ギュッと
➡ 名 衝撃、影響

▶ **pact** [pǽkt]
縛り（約束）
➡ 名 条約、協定

▶ ☆**page** [péɪdʒ]
縛ったもの
➡ 名 ページ

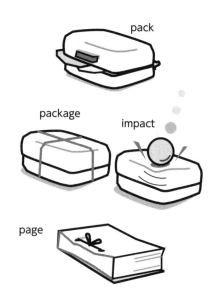

pack

package

impact

page

　背中（**back**）に背負う**pack**が**backpack**（バックパック）で、それで旅行する人たちが**backpacker**（バックパッカー）です。

例文

She packed her stuff neatly to make the package compact.
彼女は包みをコンパクトにするために、自分の持ち物をきちんと詰め込んだ。

ファンデーション foundation

found, fund
基礎を置く

　「ファンデ」などとも呼ばれます。**foundation**のfoundは「基礎を置く」。**foundation**は「土台」「根拠」「化粧の下地」のほか「基金」の意味にもなります。**founder**は基盤を作った「創設者」で、**fund**は基盤となる「資金」「基金」。いっしょに覚えられるのが、**refund**（払い戻し金、払い戻す）で、「払い戻し可能」なことを**refundable**といいます。さて、英語学習もお化粧も、どちらも基礎固めが重要なようです。

▶ **founder** [fáundər]
　基礎を築く人
　➡ 名 創設者

▶ **fundamental** [fʌndəmént(ə)l]
　基礎＋al
　➡ 形 基本的な

▶ **fund** [fʌnd]
　底、基礎、基盤
　➡ 名 基金、資金

▶ **refundable** [rifʌndəb(ə)l]
　資金を元へ (re) + able
　➡ 形 払い戻し可能な

▶ **profound** [prəfáund]
　前に (pro) +深く
　➡ 形 深遠な、意味深い

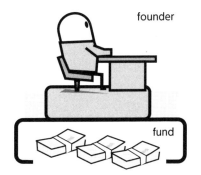

founder

fund

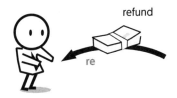

refund

re

このfoundはfindの過去形のfoundとは異なる「他人の空似」です。

例文

It was his <u>profound</u> knowledge and experience that
successfully supported the <u>foundation</u> he <u>founded</u>.
彼が創設した財団を成功裏に支えたものは、彼の深遠な知識と経験だ。

コンシーラー concealer ceal
隠す

　シミを隠したりするときに使う「コンシーラー」。**concealer** の **conceal** は ＜すっかり (con) ＋隠す (ceal)＞。cel には「囲う」「覆い隠す」の意味があって、「隠す」の意味では **color**（色）と共通です。「囲う」の意味だと「独房」「細胞」の **cell**、「天井」の **ceiling** や「地下貯蔵庫」の **cellar** があります。「携帯電話」**cellular phone**（**cell phone**）の **cellular** は格子状に張られた中継網に由来します。ちなみに携帯電話は「可搬」という機能で表現するなら **mobile phone**（p.127）です。

▶ **★color** [kʌ́lər]
　隠すために色をつける
　➡ 名 色　動 色をつける

▶ **cell** [sel]
　小さな部屋
　➡ 名 細胞、独房

▶ **★ceiling** [síːlɪŋ]
　覆いを張ること
　➡ 名 天井

▶ **cellar** [sélər]
　小さな部屋の集まり
　➡ 名 地下貯蔵庫

▶ **cellular** [séljələr]
　細胞状の
　➡ 形 細胞状の、携帯型の

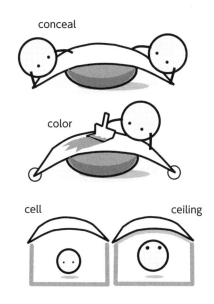

conceal

color

cell　ceiling

parcel は＜par（部分）＝小さく分けられた＞から「小包」、**cancel** は＜格子状の取り消し線＞から「取り消す」となりました。

例文

She wanted to paint the <u>ceiling</u> of the <u>cellar</u> in a lighter <u>color</u>.
彼女は地下貯蔵庫の天井をもっと明るい色で塗りたかった。

ウォータープルーフ　waterproof　proof
試す、立証する

　「耐水性の」を意味する **waterproof** の proof は「耐える」を表します。この **proof** も **prove** も、「試す」という意味から「立証する」の意味になって、**proof** は「証拠」「立証」、**prove** は「証明する」「立証する」。**approve** は＜何かに向かって（ad）良さを証明する＞から「承認する」。反対は **disapprove**「賛成しない」。**prove**（立証）ができそうかなあと思う「たぶん」の気持ちが **probable**；副詞の形の **probably** がよく使われるので覚えると便利です。

▶ **proof**　[pruːf]
　試すこと
　➡ 名 証明、証拠品　　形 〜に耐える

▶ **prove**　[pruːv]
　試す
　➡ 動 証明する、立証する

▶ **approve**　[əprúːv]
　向かって（ad）立証する（prove）
　➡ 動 承認する

▶ **probable**　[prá(ː)bəb(ə)l]
　立証できそうな
　➡ 形 十分ありそうな

▶ ★**probably**　[prá(ː)bəbli]
　probable ＋ ly
　➡ 副 たぶん、十中八九

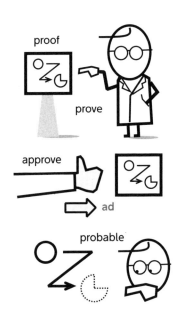

　惑星探査の「探査機」や医師が体内を「調べる」ことを **probe** といいます。形が似ている **improve** は語源は異なるようですが、「改善する」の意味でよく使われるので、いっしょに覚えるのがよいと思います。

例文

> **My boss will <u>probably</u> <u>approve</u> our plan to <u>improve</u> the situation.**　私の上司はこの状況を改善するための私たちの計画をおそらく承認するだろう。

パーマ　permanent　per
通す、貫く、完全に

　頭にかけるパーマは **permanent wave** からで、**permanent** は「永遠の」。このper は「通す」「貫く」「完全に」の意味の接頭辞で、**perform** は＜やり通す＞で、＜完全に行った＞は **perfect**（p.74）。**permit** のmit は **missile**（ミサイル）や **message**（メッセージ）のmit（送る）なので＜通して送る＞から「許す」。一貫してやり通せば、**experience**（経験）になり、**expert**（エキスパート）になりますね。次回パーマをかけるときにはこんなことを考えながら時間を過ごしてみてください。

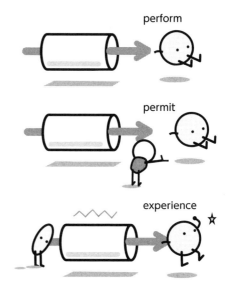

perform

permit

experience

- ▶ ☆**perform** [pərfɔ́ːrm]
  完全に (per) 形成する (form)
  ➡ 動 成し遂げる、上演する
- ▶ ★**perfect** [pə́ːrfɪkt]
  完全に (per) 為す (fect)
  ➡ 形 完全な
- ▶ **permit** [pərmít]
  通して (per) 送る (mit)
  ➡ 動 許可する
- ▶ ★**experience** [ɪkspíəriəns]
  完全に (ex) やり通す
  ➡ 名 経験、体験
- ▶ **expert** [ékspəːrt]
  experience をやり通した人
  ➡ 名 熟練者、専門家

experience の仲間で **experiment** は「実験」。**persist** は＜一貫して (per) 立つ (sist)＞から「固執する」「言い張る」。

例文

> "I want to have my hair permed," the student persisted. But first year students were not permitted to do so.
>
> 「私の髪にパーマをかけたい」とその学生は言い張った。しかし1年生はそうすることを許されていなかった。

ペンダント pendant

pend
ぶら下がる

首から下げる**pendant**のpendは「ぶら下がる」。＜下へ (de) 下げる＞と**depend**（依存する）。否定のinがつくと**independent**（頼らない、独立した）；アメリカの独立記念日は**Independence Day**。下へ (sub) がついた**suspend**は「ぶら下げる」から「一時停止する」；電車の「不通」は**suspend**で表されます。ズボンを吊り下げるものが**suspender**（サスペンダー）ですね。**pending**は宙ぶらりんの状態なので「未決定の」。吊り下げ式の天秤ばかりをイメージすると**spend**、**expensive**などのお金に関わる語につながります。

▶ **depend** [dɪpénd]
下に (de) 下がる (pend)
➡ 動 （～次第で）ある、依存する

▶ ★**independent** [ìndɪpénd(ə)nt]
dependしていない
➡ 形 独立した

▶ **suspend** [səspénd]
下に (sub) 吊るす (pend)
➡ 動 一時停止する、下に吊るす

▶ ★**spend** [spend]
s (ex) + pend
➡ 動 支払う、費やす

▶ ☆**expensive** [ɪkspénsɪv]
spendが必要な (ive)
➡ 形 高価な

dependent　　　independent

suspend

ドラマなどの「サスペンス」（**suspense**）は「気持ちが宙ぶらりんでハラハラする」イメージで、suspenseには「不安」「気がかり」の意味があります。

例文

How much time we have to spend to become independent depends on the situation.
独立するためにどれくらいの時間をかけなければならないかは、状況次第だ。

暮らしの中の カタカナ語から学ぶ

⑤ キッチン・リビング

便利な製品が開発されて、商品名などにカタカナ語が多用されますが、なかなかわかりにくいものも多いです。この際なので、関連英単語の意味まで覚えることにして、家事を単語学習の場に変えてしまいましょう。

stainless (ステンレス)
[→p.87]

stain (シミ) [→p.87]

processor (プロセッサー)
[→p.89]

★process [→p.89]
success [→p.89]
access [→p.89]
★necessary [→p.89]

disposable (ディスポーザブル) [→p.90]

★purpose [→p.90]
oppose [→p.90]
expose [→p.90]
suppose [→p.90]

cloth (クロス、布)

さびにくい金属にステンレス (**stainless**) があります。**stain** は「シミ」のことで、それがない (less) 金属の呼び名が **stainless** です。

sink (シンク) [→p.93]

drain (ドレン) [→p.93]

★drop [→p.93]
drip [→p.93]
★drink [→p.93]
★dry [→p.93]

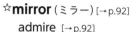

☆**mirror** (ミラー) [→p.92]

admire [→p.92]
miracle [→p.92]
★smile [→p.92]

recycle (リサイクル)
[→p.91]

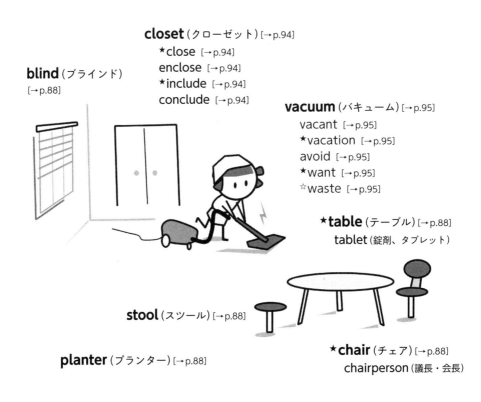

closet (クローゼット) [→p.94]
　　★close [→p.94]
　　enclose [→p.94]
　　★include [→p.94]
　　conclude [→p.94]

blind (ブラインド)
[→p.88]

vacuum (バキューム) [→p.95]
　　vacant [→p.95]
　　★vacation [→p.95]
　　avoid [→p.95]
　　★want [→p.95]
　　☆waste [→p.95]

★**table** (テーブル) [→p.88]
　　tablet (錠剤、タブレット)

stool (スツール) [→p.88]

planter (プランター) [→p.88]

★**chair** (チェア) [→p.88]
　　chairperson (議長・会長)

窓にかけるブラインド (**blind**) は形容詞で「盲目の」。窓の「目隠し」が名詞としての **blinds** です。

table は「平らなもの」を表して、家具のテーブルのほか、「表」や「一覧表」を指します。let は縮小辞と呼ばれて、「小さいもの」を意味しますが、**table** にそれがついた **tablet** は、大昔は携帯用の平らで小さい石板や木板などのことで、当時は文書の作成などに使われたようです。16世紀には「錠剤」の意味でも使われるようになったようです。似たようなものでデスク (★**desk**) は「盤」を表して、ディスク (**disc**) と同源です。

腰掛を表すスツール (**stool**) は「しっかり立つ」の sta の仲間です (p.111)。椅子のチェア (**chair**) に person がついた **chairperson** は「議長」や企業などの「会長」。

プランター (**planter**) は植物を植える (plant) ための容器です。

プロセッサー　processor

cess, ceed
進む

フードプロセッサー **food processor** は食材を切り刻んだり混ぜたりする調理器具。**process** は名詞で「過程」、動詞で「処理する」。もともとは＜前へ (pro) 進む (ceed) ＞。sub (下に) がつくと **succeed** で＜下に (あとに) 続く＞で「継承する」。続ければ良い結果が出るから **success** (成功) です。**access** は＜向かって (ad) 進む＞から「接近 (方法)」。お店の広告で「アクセス」は「行き方」です。**accessory** は＜接近しているもの＞で「付属品」「アクセサリー」。**necessary** の ne は「ない」の意味で、「譲れない」から「必要な」の意味。

process

pro

success

access

ad

▶ **★process** [prά(:)ses]
前へ (pro) 進む (cess)
➡ 名 過程　形 加工処理された
　 動 処理する

▶ **success** [səksés]
下に [後に] (sub) 続く
➡ 名 成功

▶ **access** [ǽkses]
向かって (ad) 進む
➡ 名 接近、アクセス

▶ **accessory** [əksés(ə)ri]
接近 (付随) しているもの
➡ 名 付属品、アクセサリー

▶ **★necessary** [nésəsèri]
譲れ (cess) ない (ne)
➡ 形 必要な、不可欠な

ancestor の an は「前」で「祖先」。**recession** は＜後ろ (re) に進む＞ので「景気後退」。**processed food** は「加工食品」。進み過ぎて出て (ex) しまうのが **exceed** (越える) や **excessive** (過度の)。

例文

> **Winning the competition was a <u>necessary</u> step in the <u>process</u> for our <u>success</u>.**
> 競争に勝つことは私たちの成功への過程の中で必要なステップだった。

89

ディスポーザブル disposable

pose
置く

pose は「置く」です。「使い捨ての」を意味する **disposable** は **dispose** ができる (able)。**dispose** は＜離れて (dis) 置く (pose)＞で「処分する」。**disposal bag** は「汚物処理袋」。**position** (位置) と結びつけて覚えられますね。＜前に (pro) 置く＞で **propose**。「対して」の意味の ob をつければ **oppose** (対抗する)；「野党」は **opposition party** です。＜外に (ex) 置く＞のが **expose**。**suppose** は＜考えの下に (sub) 置く＞で「想像する」「仮定する」。

▶ **propose** [prəpóuz]
前に (pro) 置く (pose)
➡ 動 提案する、結婚を申し込む

▶ **oppose** [əpóuz]
対して (ob) 置く (pose)
➡ 動 反対する

▶ ★**purpose** [pə́ːrpəs]
前に (pur) 置いたもの (pose)
➡ 名 目的

▶ **expose** [ɪkspóuz]
外に (ex) 置く (pose)
➡ 動 さらす、暴露する

▶ **suppose** [səpóuz]
考えの下に (sub) 置く (pose)
➡ 動 想像する、仮定する

propose

pro

oppose

ob

purpose

ほかにも、「保証金」「預金」の **deposit** (p.159)、「肯定的な」の **positive** があります。pone も「置く」を表して、＜いっしょに (con) 置く＞ **component** (構成部品、コンポーネント) のほか、＜対して (ob) 置く＞ **opponent** (敵)、＜後に (post) 置く＞ **postpone** (延期する) などがあります。

例文

The <u>purpose</u> of her <u>proposal</u> was to show her <u>position</u> which was to <u>oppose</u> the illegal <u>disposal</u> of garbage. 彼女の提案の目的は違法なゴミの廃棄に反対するという立場を示すことだった。

リサイクル recycle

cycle
くるくる

「使い捨て」の**disposable**に対して＜再び(re)回す(cycle)＞のが**recycle**。日本語の音感覚では「くるくる」。**cycle**がふたつ(bi)あるのが**bicycle**(自転車)。**circle**が「円」で、＜円を行く(it)＞のが**circuit**(サーキット、回路)。部屋の空気をくるくる回すのは**circulator**(サーキュレーター)。あちこちをくるくる探し回るのが**search**(調べる)。「何度も何度も」を意味するreをつければ＜何度も探求する＞**research**は「研究」。＜ぐるりと取り巻いて立つ(sta)もの＞が**circumstance**(状況)です。

bicycle

search

research

▶ **cycle** [sáɪk(ə)l]
円
➡ 名 繰り返し、周期

▶ ☆**circle** [sə́ːrk(ə)l]
小さな(le)丸
➡ 名 円、輪

▶ **search** [səːrtʃ]
(探して)回る
➡ 動 調べる、検索する

▶ ★**research** [ríːsəːrtʃ]
何度も(re)search
➡ 名 研究　動 研究する

▶ **circumstance** [sə́ːrkəmstæns]
周りに立つ(sta)様子
➡ 名 状況

インド洋の熱帯低気圧はサイクロン(**cyclone**)；サイクロンは掃除機の方式にもあります。**curl**(カール)や**curve**(カーブ)にも「くるくる」の感覚がありますね。ゴミを減らす「3R」とは、**reduce**(削減), **reuse**(再利用), **recycle**(リサイクル)です。

例文

> **The electric company's <u>researcher</u> <u>searched</u> the faulty <u>circuit</u> for the connection that failed.**　その電気会社の研究者は、不具合を起こした接続部を探してその不良回路を調べた。

ミラー ☆mirror

mir
驚きを持って見る

mir は日本語の「見る」にも似ているので「驚きを持って見る」と理解するとわかりやすいです。動物に鏡 (**mirror**) を見せると驚きますよね。「人に向かって (ad) 驚きを持って見る」のが **admire** で「称賛する」「ほれぼれする」の意味。**miracle** はびっくりするような「奇跡」。驚きが多い (ous) のが **marvelous** (奇跡的な、人間離れした)。不思議な見え方をする **mirage** (蜃気楼) や、遡れば **smile** にも通じるようです。

▶ **admire** [ədmáɪər]
驚きを持って見る
➡ 動 称賛する、敬服する

▶ **miracle** [mírək(ə)l]
不思議なもの
➡ 名 奇跡

▶ **marvelous** [máːrv(ə)ləs]
驚きが多い (ous)
➡ 形 素晴らしい

▶ **mirage** [məráːʒ]
反射するもの
➡ 名 蜃気楼

▶ ★**smile** [smaɪl]
笑う
➡ 動 微笑む　名 微笑み

admire

miracle

mirror を見ながら **smile** して "**marvelous!**" と自分を **admire** すると、幸運の **miracle** が起こるかもしれません。

例文

I <u>admired</u> the magician's <u>marvelous</u> performance. Some of his tricks seemed <u>miraculous</u>. 私は手品師の素晴らしい技に敬服した。彼のトリックのいくつかは神業のようだった。

ドレン drain

dr
（液体に関係）

　キッチンの流しにある排水口や排水管が **drain** です。頭に dr がつく語には「液体」に関係する語がいくつかあります。**drop** はもとは「液体が落下する」の意味から、ものが落ちたりものを落としたりする意味に広がりました。ドリップコーヒーの **drip** も「滴り落ちる」。**drink** は液体を「飲む」ですし、**dry** は「液分をなくす」つまり「乾かす」。「水不足」は **drought**。**drown** は「溺死する」です。日本語でも液体に関わるオノマトペには「トロトロ」や「ドロドロ」があるので dr も感覚としてつかみやすいと思います（p.198）。

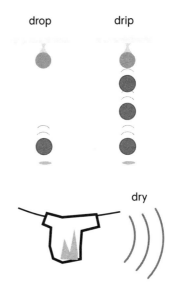

> ▶ **★drop** ［drɑ(:)p］
> 　球状の液体
> 　➡ 動 落とす、落ちる　名 滴り
> ▶ **drip** ［drɪp］
> 　液体の滴り
> 　➡ 動 滴り落ちる
> ▶ **★drink** ［drɪŋk］
> 　液体を飲む
> 　➡ 動 飲む　名 飲みもの
> ▶ **★dry** ［draɪ］
> 　水気がない状態（にする）
> 　➡ 動 乾く、乾かす　形 乾いた
> ▶ **drought** ［draut］
> 　dry の名詞化
> 　➡ 名 かんばつ、水不足

drain のついでに **sink** に気づきましょう。台所や洗面所の「流し」部分が **sink** ですが、**sink** は動詞で「沈む」「沈める」の意味です。

例文

> The <u>dry</u> heat made him thirsty and he <u>drank</u> the water to the last <u>drop</u>. 乾いた暑さは彼の喉をカラカラにし、彼は最後の一滴までその水を飲んだ。

93

クローゼット closet

clos
閉じる

closet (戸棚、収納室) は close と同源です。中に (en, in) 入れて閉じるのが enclose と include。ex- (外) をつけた exclude は「除外する」。＜すっかり (con) 閉じる＞のが conclude で会議や話を「締めくくる」；そこから「結論づける」の意味にもなり、名詞形の conclusion は「結論」。dis (反対) をつければ disclose ＜覆いを取る＞で「暴露する」。close は「近い」「密接な」を意味する形容詞でもありますが、これは「閉じる」の感覚から理解でき、前置詞がつくときは close from 〜ではなく close to 〜の形で使われるのも理解できます。

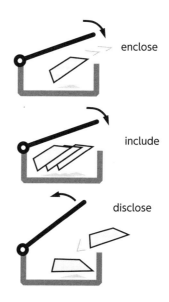

enclose

include

disclose

▶ ★**close** [klóuz]
閉じる
➡ 動 閉じる、閉める

▶ **enclose** [ɪnklóuz]
中に (en) close する
➡ 動 同封する

▶ ★**include** [ɪnklú:d]
中に (in) 閉じる
➡ 動 含む、含める

▶ **conclude** [kənklú:d]
すっかり (con) 閉じる
➡ 動 終える、結論づける

▶ **disclose** [dɪsklóuz]
反対 (dis) ＋ close
➡ 動 暴露する

close の形容詞形は closed なのでお店の「閉店中」の表示は closed。一方 open は形容詞でも open なので「開店中」の表示は open。オリンピックなどの開会式、閉会式は opening ceremony、closing ceremony。

例文

I have <u>enclosed</u> some photos of the <u>closing</u> ceremony in the letter. 閉会式の写真を何枚か同封しました。

バキューム vacuum

vac
空の

　バキュームカーなどというものは見なくなりました。**vacuum** は「真空」のことで掃除機は **vacuum cleaner**。そこから **vacuum** は「掃除機をかける」という動詞になりました。vac は「空の」の意味で、性質を表す接尾辞 ant がつくと **vacant**（空の）。トイレの「空」やホテルの「空室」は "**vacant**" と表示されます。空になっていることが **vacation**（休暇）で、「バカンス」はそのフランス語。同源語の中には **want** や **waste** のように v の代わりに w になっているものもあります；**want** には「欠乏している」の意味もあり、ないから「欲しい」の意味になります。

vacant

vacation

▶ **vacant** [véɪk(ə)nt]
空の (vac) + ant
➡ 形 (部屋や席が) 空いている

▶ ★**vacation** [veɪkéɪʃ(ə)n]
空にさせる (ate) こと (ion)
➡ 名 休暇

▶ **avoid** [əvɔ́ɪd]
空にする
➡ 動 避ける、防ぐ

▶ ★**want** [wɑ(:)nt]
空の➡ない➡欲しい
➡ 動 欲しい

▶ ☆**waste** [weɪst]
空の、さびれた
➡ 名 無駄、浪費

vain は「空虚な」。**evacuate** の e は ex（外へ）で＜外に出て空にする＞から「避難する」；「避難訓練」は **evacuation drill**。漢字の「漠（バク）」もこの vac と似たような意味なので関連させて覚えられます；**vague**（漠然とした）、**vast**（莫大な）。

例文

> She <u>wanted</u> a <u>vacation</u> and found a <u>vacant</u> hotel room on the beach. 彼女は休暇が取りたくて、浜辺のホテルの空き部屋を見つけた。

⑥ 交通（車）

　車や電車で出かけてもカタカナ語がたくさん目につきます。車内や道路、駅などで見かけるカタカナを解き明かして、それをヒントに英単語を覚えましょう。

maintenance（メンテ）
[→p.97]
- maintain [→p.97]
- manner [→p.97]
- manual [→p.97]
- manage [→p.97]
- manufacture [→p.97]

repair（リペア）
[→p.98]
- compare [→p.98]
- ★prepare [→p.98]
- ★parent [→p.98]
- separate [→p.98]
- ★pair [→p.98]

display（ディスプレイ）

hazard（ハザード）[→p.96]

pedal（ペダル）[→p.99]
- pedestrian [→p.99]
- passage [→p.99]
- ★passenger [→p.99]
- pace [→p.99]
- foot（足）[→p.99]

navigation（ナビ）
[→p.96]
- navy（海軍）
[→p.96]

recline（リクライン）
[→p.100]
- ★climb [→p.100]
- climax [→p.100]
- decline [→p.100]
- climate [→p.100]

full（満杯の）
[→p.96]

empty（空の）
[→p.96]

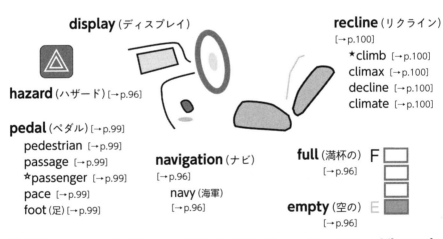

　燃料計のEは**empty**（空の）でFは**full**（満杯の）。ハザードランプ（**hazard light**）の**hazard**は「危険要素」。防災でいわれるハザードマップ（**hazard map**）は「災害予測図」です。カーナビのナビはnavigationの「ナビ」で、なじみのある語でいえば**navigator**（航海士）；**navy**は「海軍」「濃紺色（**navy blue**）」。

メンテ　maintenance

main, man
手

　車や身体のメンテは **maintenance**。動詞は **maintain**。main は「手」の意味で tain は「保つ」。main は man の形の方が多くて、**manner** は「手さばき」から「方法、様式、行儀」。馬を手綱でさばくことから「なんとかやりくりする」ことを **manage** といいます。人やものごとを「なんとかする」人が **manager** です。**manual** は「手動の」または「手引き」として感じられますね。**manicure** は「手の cure（治療・世話）」です（p.99 **pedicure** 参照）。
　一方の tain はコンテナ（**container**）のところ p.102 で紹介しましょう。

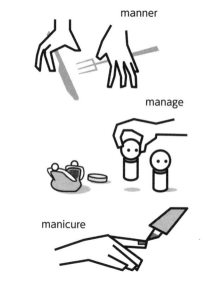

manner

manage

manicure

- ▶ **maintain** ［meɪntéɪn］
  手で (main) 保つ (tain)
  ➡ 動 保つ、維持する
- ▶ **manner** ［mǽnər］
  手さばき、手で扱う方法
  ➡ 名 方法、様式、行儀
- ▶ **manage** ［mǽnɪdʒ］
  手綱でさばく
  ➡ 動 どうにかする、運営する
- ▶ **manual** ［mǽnju(ə)l］
  手 (manu) の (al)
  ➡ 形 手動の　名 説明書
- ▶ **manicure** ［mǽnɪkjuər］
  手の (mani) 世話 (cure)
  ➡ 名 マニキュア

「作る」を意味する **fact** をつけると **manufacture** で「生産する」。「手書き」は **manuscript**。この script は「書く」を意味し、手紙の「追伸」を意味する p.s. は **postscript**（後ろ＋書く）を表します；post は **postpone** の post です（p.159）。

例文

> The <u>manager</u> <u>managed</u> to communicate his expectation about <u>manners</u> between staff and customers.　スタッフと顧客の間のマナーについての期待をマネージャーはなんとか伝えることができた。

リペア repair

pare, pair
きちんと並べる

　男女の「ペア」というのはよく耳にします。「修理」の意味の **repair** も実はその仲間。pair や pare には「きちんと並べる」の意味があって、re (p.22) をくっつけると「再びきちんと並べる」で「修理する」の意味になります。これを覚えると重要語がたくさん覚えられます。「いっしょに」の con (p.17) がつくと **compare** で、「いっしょに並べる」→「比較する」。「前」の pre (p.19) がつくと **prepare** で「前もってきちんと並べる」→「準備する」。**separate** は接頭辞 se- のところ (p.29) で紹介しましたね。**parent**（親）も仲間に入れてしまいます。

- ▶ **compare** [kəmpéər]
  いっしょに (con) 並べる (pare)
  ➡ 動 比べる

- ▶ ★**pair** [peər]
  同等に並んだもの
  ➡ 名 対、ペア

- ▶ ☆**prepare** [prɪpéər]
  前もって (pre) 並べる (pare)
  ➡ 動 準備する

- ▶ **separate**
  動 [sépərèit]　形 [sép(ə)rət]
  離して (se) 並べる (parate)
  ➡ 動 分ける　形 離れた

- ▶ ☆**parent** [péər(ə)nt]
  ➡ 名 親

compare

pair

prepare

separate

pair は **a pair of shoes**（靴1足）、**a pair of eyes**（両目）、**a pair of scissors**（はさみ1丁）、**a pair of jeans**（ジーンズ1着）のように使います。ゴルフの **par** は「プラスとマイナスがきっちり並んだ」つまり「等価」のこと。きちんと並んで歩くのが **parade**（パレード）です。

例文

> **My** <u>parents</u> **were** <u>prepared</u> **to** <u>repair</u> **the car so we could go to the** <u>parade</u> **together instead of** <u>separately</u>**.** 私の両親は車を修理する準備ができていた。それは別々でなくみないっしょにパレードに行けるようにするためだ。

ペダル pedal

ped, pas
足

　手の次は「足」です。足で踏むのが**pedal**です。manicure に対して「足の cure」は**pedicure**。「歩行者」は**pedestrian**で「歩道橋」は**pedestrian bridge**。ped は pas の形にもなって「通る」の意味で、**passage** は「通路」、電車やバスや車の「乗客」は**passenger**。「車の助手席」は**passenger seat**。「歩調」を表す**pace** も同源です。
ラテン語由来の ped は、p と d が古英語ではそれぞれ f と t になっていて、古英語由来の**foot**（足）や**feet**（足の複数形）も元をさかのぼれば同源です。

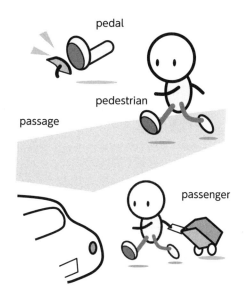

▶ **pedal**　[péd(ə)l]
足（ped）＋ al（の）
➡ 名 ペダル、踏み板

▶ **pedestrian**　[pədéstriən]
足の＋ ian（人）
➡ 名 歩行者

▶ **passage**　[pǽsidʒ]
pass（通る）＋ age（こと）
➡ 名 通路、本などの一節

▶ ☆**passenger**　[pǽsin(d)ʒər]
通る（pass）人（er）
➡ 名 乗客

▶ **pace**　[peɪs]
歩み、歩調
➡ 名 速度、ペース

pedal

pedestrian

passage

passenger

さらに「過ぎる」を表す**pass**や**passport**（p.143）や**password**、そして過ぎてしまった**past** も同源ですからいっしょに覚えられます。「3」を意味する tri がつけば**tripod**で「三脚」。「8」を意味する oct がつけば 8 本足の**octopus**（タコ）。「100」を意味する centi がつけば**centipede**（百足＝ムカデ）。

例文

It was half <u>past</u> ten. All the <u>passengers</u> were ready when the driver placed his <u>foot</u> on the pedal.　10 時半だった。運転手がペダルに足を置いたとき、乗客全員は準備ができていた。

リクライン recline

clin, clim
傾ける、はしご

座席を後ろに (re) 倒す **recline**。cline は「傾ける」や「はしご」を意味します。はしごを上る **climb**。のぼり詰めたら **climax**（クライマックス）。**decline** は＜下 (de) へ傾く＞で「減少する」、または気持ちが下に傾いて「辞退する」。逆に気持ちが内側 (in) に傾けば **incline** で「考えが傾く」「傾向にある」、または物理的に「かがむ」。**climate**「気候」は緯度が上がって地がより傾くと気候が変わることから。車や飛行機の座席をリクラインさせるとき、これらの語を思い出してみましょう。

▶ ★**climb** [klaɪm]
　はい上がる
　➡ 動 よじ登る

▶ **climax** [kláɪmæks]
　はしごの最上段 (max)
　➡ 名 クライマックス、山場

▶ **decline** [dɪkláɪn]
　下に (de) 傾く (cline)
　➡ 動 減少する、辞退する

▶ **incline** [ɪnkláɪn]
　内に (in) 傾く (cline)
　➡ 動 傾斜する、その気にさせる

▶ **climate** [kláɪmət]
　地の傾きによる変化
　➡ 名 気候

client は「頼る人」から「依頼人」となり、**clinic** の語源は「人が横になる台」。体をもたれかけさせる動詞の **lean**（傾く、寄りかからせる）も同源の仲間です。

例文

Climate changes as you **climb** higher in the mountain. The air density **declines** and the temperature gets cooler. 山を高く上るにつれ、気候は変わる。空気の濃度は低下し、気温は低くなる。

暮らしの中の カタカナ語から学ぶ

⑦ 交通（道路）

　道路で目にするものにもカタカナの名がついています。それらの関連語を考えてみます。

container（コンテナ）[→p.102]
　　contain [→p.102]
　　★continue [→p.102]
　　entertain [→p.102]
　　obtain [→p.102]

trailer（トレーラー）[→p.103]
　　tractor [→p.103]
　　truck [→p.103]
　　track [→p.103]
　　train [→p.103]

concrete（コンクリート）[→p.104]
　　★increase [→p.104]
　　decrease [→p.104]
　　★create [→p.104]

rider（ライダー）[→p.105]
　　★ride [→p.105]
　　★ready [→p.105]
　　★road [→p.105]
　　★already [→p.105]

★taxi（タクシー）[→p.101]
　　tax（税）[→p.101]

☆hire（ハイヤー）
[→p.101]

タクシー；**taxi** の **tax** は「税金」で「消費税」は **consumption tax**。
ハイヤー；英語の **hire** は動詞で「賃借する」「雇う」（日本語「ハイヤー」のように「借りる車」の意味の名詞では使われません）。

コンテナ container

　トレーラーで運ばれるコンテナ。コンテナ船のコンテナです。動詞は**contain**で、＜con（いっしょに）＋tain（保つ）＞から「含む」。さらに**content**は「内容」。「ずっといっしょにつないで保つ」をイメージすれば**continue**（続く）につながります。また**continent**（大陸）も同源です。**maintain**は前に紹介しましたが「手をかけて保つ」と理解しましょう（p.97）。「面白いことをして保つ」のが**entertain**（楽しませる）。「向かっていって保つ」のが**obtain**「取得する」。

▶ **contain** [kəntéin]
いっしょに (con) 保つ (tain)
　➡ 動 含む

▶ ★**continue** [kəntínju:]
いっしょに (con) つなぐ
　➡ 動 続く、続ける

▶ **maintenance** [méint(ə)nəns]
手がけて　保つこと
　➡ 名 保守、メンテナンス

▶ **entertain** [èntərtéin]
内部に (enter) 保つ
　➡ 動 楽しませる

▶ **obtain** [əbtéin]
向かって (ob) 保つ
　➡ 動 入手する

contain

continue

entertain

　「サステナビリティ」**sustainability**などということばを耳にします。susは subの異形で、この場合には「下から」の感じです。「下から保つ」→**sustain**は「持続させる」。サステナビリティは「持続可能性」を意味して社会や地球環境などを持続させる能力のことをいいます。

例文

The container that carried packages containing a lot of entertainment items arrived this morning. たくさんのエンターテインメント用具の入った包みを運ぶコンテナが、今朝到着した。

トレーラー trailer

tract
引く

　コンテナを運ぶのが**trailer**。tra- は「引っ張る」の意味で、そこからさらに引っ張った「跡」を表します。**trail** は「跡をつける」「跡」。そのトレーラーなどを引っ張るのが**tractor**。**track** は「足跡」や「通路」、「トラック競技」や「跡を追う」；**track record** は「履歴」で、荷物の行方や配達状況を確認する「問い合わせ番号」は **tracking number** です。同じように出処などをさかのぼって探るのが**trace**。荷物を運ぶのは**truck**。機関車に引かれるのが**train**（列車）で、＜手引きする＞つまり指導するのが**train** で、その行動が**training** です。

> ▶ **trail** ［treɪl］
> 引かれた跡
> ➡ 名 小道、足跡　動 引きずる
> ▶ **tractor** ［trǽktər］
> 引くもの
> ➡ 名 牽引車、トラクター
> ▶ **track** ［træk］
> 引かれ通った跡
> ➡ 名 小道、通路
> ▶ **trace** ［treɪs］
> 引かれたもの ➡（線を）引く
> ➡ 名 跡　動 跡をつける、書き写す
> ▶ ＊**train** ［treɪn］
> 引く、引かれるもの
> ➡ 名 列車　動 訓練する

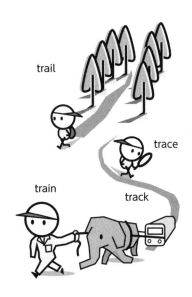

食品などの流通過程を追いかけて明確にするのが「トレーサビリティ」（**traceability**）。人の気持ちを「惹きつける」ものがattractionです (p.12)。tractについては、**treatment** の項も参照してください (p.80)。

例文

> **I saw a tractor-trailer behind the truck on the train tracks.**
> 私は、鉄道線路上のトラックの後ろにトラクタートレーラー（トレーラーを引いたトラクター）を見た。

コンクリート concrete

　一般には **concrete** は「具体的な」の意味で使うことが多いと思います。＜con（いっしょに）＋crete（成長）＞の意味で、「成長して結合する」から「固まる」、「固体の」から「有形の」さらに「具体的な」や建材の「コンクリート」の意味にまで広がりました。**increase** や **decrease** はそれぞれ「増加」「減少」。**create** は「作り出す」で神に作り出されたものが **creature**（生き物）。**recruit** は「再び（re）成長する」でもともと「新兵を採用する」から「新規に採用する」、「新兵」。三日月（形）は **crescent** で同じ語源です。これらの語は月の満ち欠けから連想できます。

▶ **★increase** 動 [ɪnkríːs] 名 [ínkriːs]
　上に (in) 成長する (cre)
　➡ 動 増える、増やす　名 増加

▶ **decrease** 動 [dìːkríːs] 名 [díːkriːs]
　下に (de) 成長する (cre)
　➡ 動 減る、減らす　名 減少

▶ **★create** [kriéɪt]
　生み出す
　➡ 動 創造する

▶ **creature** [kríːtʃər]
　神に創造 (create) されたもの
　➡ 名 生き物

▶ **recruit** [rikrúːt]
　再び (re) 成長する (cre)
　➡ 動 新規に採用する　名 新兵

concrete
↗ increase

↘ decrease

create

recreation は、＜再び（re）（気力を）生み出すこと＞で、「元気回復」。この語根を覚えるときは三日月形のパンのクロワッサン（フランス語 croissant）を思い浮かべるとよいと思います。

例文

The number of sea <u>creatures</u> <u>decreased</u> as the human population <u>increased</u>.
人間の人口が増えるにつれ、海洋生物の数が減った。

ライダー　rider

ride
馬に乗る

　ライダーといえばオートバイに乗る人が思い浮かびますが元は「馬に乗る人」。**ride** は「乗馬する」や自転車やオートバイやバスや車や船などに「乗る」「乗っていく」。**ready** は＜乗馬の準備ができた＞ということから「準備ができた」。**road** は＜馬に乗って通る道＞なので、商店が並ぶような街の **street**（通り）と違って町と町をつなぐような道を意味します。

▶ ★**ride**　[raɪd]
馬に乗る
➡ 動 （乗り物や動物に）乗る

▶ ★**ready**　[rédi]
乗馬の準備ができた
➡ 形 準備ができた

▶ ★**road**　[roud]
馬に乗って通るところ
➡ 名 道路

▶ ★**already**　[ɔːlrédi]
すっかり (al) 準備ができて
➡ 副 すでに

ready

ride

road

　「なぞなぞ」の意味の **riddle** は、この仲間ではなく **read**（読む）の仲間で「判読する、見分ける」というところから来ています。

例文

I was <u>already</u> <u>ready</u> to <u>ride</u> the bike on the <u>road</u> to the city.
私は街へ続く道を自転車で行く準備がすでにできていた。

交通（電車）

最近は駅や電車の中の表示もバイリンガルです。ここに挙げた語は「カタカナ」というより英語でよく目にしたり車内英語アナウンスなどで耳にする語です。電車に乗るときは注意してみてください。

reserved seat (指定席) [→p.108]
  reservation [→p.108]
  observe [→p.108]
  conservative [→p.108]

priority seat (優先席) [→p.109]
  prior [→p.109]
  prime [→p.109]
  premier [→p.109]
  prince [→p.109]

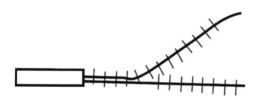

terminal (ターミナル) [→p.110]
  ★term [→p.110]
  determine [→p.110]

★**station** (ステーション) [→p.111]
  ★stay [→p.111]
  status [→p.111]
  statue [→p.111]

departure（出発する）
[→p.112]
    depart [→p.43, p.112]
    partial [→p.112]
    ☆part-time [→p.112]

★**arrive**（到着する）
[→p.113]
    arrival [→p.113]
    ★river [→p.113]
    rival [→p.113]

platform（プラットホーム）[→p.72, p.133]
    ★plate（プレート）[→p.133, p.188]
    ★place（場所）[→p.188]

rush（ラッシュ）

☆**local**（ローカル）[→p.114]
    location [→p.114]
    locomotive [→p.114]

transfer（乗り換え）[→p.154]

signal（シグナル）[→p.115]
    ★sign [→p.115]]

「ラッシュアワー」の**rush**は「大急ぎで行く」「突進する」です。

リザーブ reserve

serve
保つ、守る

「指定席」は **reserved seat**。**reserve** の名詞形が **reservation**。この serve は「保つ」「見守る」。「後ろ」の意味の re がつく **reserve** は「後々 (re) のために確保する」の意味で「備蓄する」「貯蔵する」「予約する」の意味の「とっておく」。「前」の pre がつく **preserve** は「先々まで (pre) 保存する」という意味で、史跡の状態を保存したり、食品の品質を保ったり、動物を保護したりする意味の「とっておく」です。「コンサバ」などと略される **conservative** は＜完全に (con) 守る＞で「保守的な」の意味。「保守党」は **conservative party** です。

▶ **reservation** [rèzərvéiʃ(ə)n]
後々のため (re) 保つ (serve) こと
➡ 名 予約

▶ **preserve** [prɪzə́:rv]
先々まで (pre) 保つ (serve)
➡ 動 保存する、保護する

▶ **observe** [əbzə́:rv]
向かって (ob) 見守る (serve)
➡ 動 観察する

▶ **observer** [əbzə́:rvər]
observe する人 (er)
➡ 名 観察者、立会人

▶ **conservative** [kənsə́:rvətɪv]
完全に (con) 守る (serve)
➡ 形 保守的な

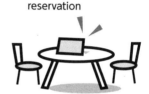
reservation

observe

形は似ていても **serve**（奉仕する、仕える）は別の語源で、その仲間は **service**、**server**、**servant** など (p.55 「サービス」の項目参照)。

例文

You can <u>observe</u> the class about the <u>preservation</u> of the environment without having a <u>reservation</u>.
あなたは自然環境保護に関するクラスを予約なしで参観できます。

108

プライオリティ priority ^{pri 第一の}

「優先席」には"priority seat"の表示があります。**priority** は pre（前の）の比較級の意味で「優先」。時間的な「前の」は **prior** で、最上級の意味になると「第一の」「最も重要な」の意味の **prime**；「総理大臣」は **prime minister**。**premier** も「第一位の」でサッカーのプレミアリーグの **premier**。第一の地位にいるのが **prince**（王子）と **princess**（王女）。**principal** は「最も重要な」と「校長」。電車などで優先席を見たときにこれらの語を思い出してください。

▶ **prior** [práɪər]
より前の、先に
➡ 形 前の、事前の

▶ **prime** [praɪm]
最も先の
➡ 形 第一の、最も重要な

▶ **premier** [prɪmíər]
最も先の
➡ 形 第一位の

▶ **prince** [prɪns]
第一位をつかむ（cept）人
➡ 名 王子

▶ **principal** [prínsəp(ə)l]
prince + al（の）
➡ 形 最も重要な　名 校長

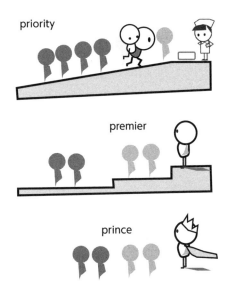

priority

premier

prince

primitive は「原始的な」、**principle** は「原理」。「前の」の意味では好まれることを表す語があり、**prefer** は＜前へ運ぶ＞で「より好む」、**premium** は「高級な」それから「割増料金」。旅行に行ったり海外からお客さんを迎えるときに **preference**（好み、好物）という語を知っていると役立ちます。

例文

Prior to the conference, the **prime** minister said he would put the first **priority** on meeting with the **prince**.
会議に先立ち、首相は王子と会うことを最優先させると言った。

ターミナル terminal

term
端

　terminalは「端っこ」の意味です。配線の「端子」**terminal**は線の端っこ。
terminal stationのterminalも「端っこ」つまり駅は駅でも「終着駅」。空港の
terminalは「発着所」。病気などが末期の状態も**terminal**でターミナルケア
(**terminal care**)は「終末期治療」。映画「ターミネーター」は言ってみれば「終
わりにする役割の人」。**term**は「期間」や「専門用語」の意味がありますが、時
間の端っこを特定するのが「期間」で、意味の端っこを特定するのが「用語」で
す。端っこを決めるのが**determine**(決める)。

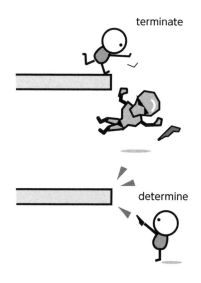

terminate

determine

> ▶ **terminate** [tə́:rmɪnèɪt]
> 　終わり (term) にする
> 　➡ 動 終わらせる
> ▶ ★**term** [tə:rm]
> 　はっきりさせるべき端 (term)
> 　➡ 名 期間、専門用語、条件
> ▶ **terminology** [tə̀:rmənɑ́(:)lədʒi]
> 　term + logy
> 　➡ 名 (集合的に) 専門用語
> ▶ **determine** [dɪtə́:rmɪn]
> 　はっきり (de) 端 (term) を見極める
> 　➡ 動 決める、特定する
> ▶ **determined** [dɪtə́:rmɪnd]
> 　determine した
> 　➡ 形 固く決意した

　「期間」を表す語の使い分けですが、スポーツなどで使われる**period**は行った
り来たり繰り返しのある「はじまりとおわり」のようなイメージの「期間」で、時
間の長さというイメージです。**duration**のdurは**during**のdurで「持続」を意
味し、「持続する間」という意味の期間で、「持続期間」「存続期間」。

例文

> **We are** <u>**determined**</u> **to** <u>**terminate**</u> **the** <u>**long-term**</u> **rental**
> **agreement.** 私たちは長期レンタル契約を打ち切ることを決意している。

110

ステーション ★station

sta
立つ

　駅を表す**station**のstaは「立つ」つまりstandで、**station**はもとは「立つところ」。「立ってとどまる」のが**stay**（そのままでいる、滞在する）。事業などを「設立する」のが**establish**で、お店のロゴに「EST.1983」などとあるのは「1983年設立」のことです。**status**は「立っている状態」で「地位」「立場」；**status symbol**は「地位を象徴するもの」。**stance**は「立ち位置」。**statue**（像）は「立っているもの」で、有名なのは**Statue of Liberty**（自由の女神像）。＜対して(ob)立ちはだかる＞のが**obstacle**（障害）。

▶ ★**stay** [steɪ]
　じっと立っている
　➡ 動 とどまる、滞在する

▶ **establish** [ɪstǽblɪʃ]
　安定したものにする (ish)
　➡ 動 設立する

▶ **status** [stéɪtəs]
　立っている (sta) 状態
　➡ 名 地位、立場

▶ **statue** [stǽtʃuː]
　立って (sta) いるもの
　➡ 名 像

▶ **obstacle** [ɑ́(ː)bstək(ə)l]
　対して (ob) 立ちはだかる
　➡ 名 障害

stay
establish
statue
obstacle

stadium、★**stage** なども「立つ」を強くイメージさせる語です。余談ですが、漢字の「駅」は「馬の待機場所」「馬車の馬を換える中継地点」ということらしく、ならば走者が替わる「駅伝」の「駅」のイメージとぴったりです。

例文

> **Her** <u>status</u> <u>stayed</u> **unchanged even after the** <u>establishment</u> **of the** <u>restructured</u> **organization.**
> 再構築された組織の設立後でも、彼女の立場は変わらなかった。

ディパーチャー　departure

part
分ける、部分

　departは買い物のところで出てきました (p.43)。駅や空港で掲示や時刻表の英語記載で**departure**はよく目にします。partは「部分」が離れる (de) から「出発」。列車などの「仕切られた客室」は**compartment**。冷蔵庫の中で仕切られた「冷凍室」は**freezer compartment**。冷蔵庫の機能で**partial**がつくものがありますが、**partial**は「部分的な」。**full-time**に対して**part-time**は時間を区切られた「定時制の」で、日本語でいう「アルバイト」は英語では**part-time job**といいます。

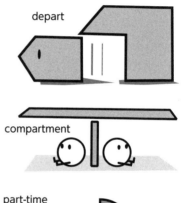

depart

compartment

part-time

▶ **depart** [dɪpάːrt]
　離れて (de) 分かれる (part)
　➡ 動 出発する

▶ **compartment** [kəmpάːrtmənt]
　完全に (con) 分ける (part)
　➡ 名 仕切り室、仕切り客室

▶ **partial** [pάːrʃ(ə)l]
　部分 (part) ＋ al (〜な)
　➡ 形 部分的な

▶ ☆**part-time** [pàːrttáɪm]
　部分的 (part) 時間 (time)
　➡ 形 パートタイムの

▶ **particular** [pərtíkjələr]
　他にない特性部分を持つ
　➡ 形 特定の、特有の

　部屋などを仕切る「ついたて」のパーテーションは**partition**です。天気予報で「ところによりくもり」は"partly cloudy"。participateはdepartのところで説明しました (p.43)。

participateはdepartのところで説明しました (p.43)。

例文

> **The welcome <u>party</u> <u>departed</u> at the scheduled <u>departure</u> time to <u>participate</u> in the event.**
> 歓待する一行は、イベントに参加するため、予定の出発時間に出発した。

アライヴ　*arrive

riv
川

　depart が「出発する」なら「到着する」のは **arrive**。その名詞形が **arrival**。この ar は「向かって」の ad の異形で rive は **river**（川）のこと。＜川岸に着く＞から「到着」。**rival** は水源を取り合う相手という意味に由来して「競争相手」「商売敵」「ライバル」を意味します。**derive** の de は「離れる」なので＜川から水を引き出す＞で「引き出す」「由来する」。水や川は生活に大きく影響していたので多くの語の語源になっていることは理解できます。駅や空港で **departure** と **arrival** の表示を見ながら思い出してください。

▶ ***arrive** [əráɪv]
　川岸 (river) に向かう (ad)
　➡ 動 到着する
▶ **arrival** [əráɪv(ə)l]
　arrive ＋ al（名詞に）
　➡ 名 到着
▶ ***river** [rívər]
　川、岸
　➡ 名 川
▶ **rival** [ráɪv(ə)l]
　水源 (river) を取り合う相手
　➡ 名 競争相手
▶ **derive** [dɪráɪv]
　川から離して (de) 水を引く
　➡ 動 由来する

語源が理解できると arrive と alive の区別を明確にできるようになります。ついでに、到達する先は **destination**（目的地）。「運命」を表す **destiny** も語源としては同じです。目的を持てば、運命も変えられるかも。

例文

The word "rival" <u>derives</u> from a Latin word for a stream or a river but means something very different.　「rival」という語は「流れ」または「川」を表すラテン語に由来するが、意味はとても異なる。

113

ローカル ☆local

「ローカル線」の **local** は「地方の」。急行などに対して **local train** は「普通列車」。**local** は「地域的な」を表すので「都会の」に対する「田舎の」とは意味が異なります。**locate** は「位置決めする」で **location** は「場所」や「位置」。＜再び (re) 位置する＞は **relocate** で「移転する」。＜向かって (ad) locate する＞ **allocate** は「割り当てる」。mot (動く) がついた **locomotive** は「機関車」。

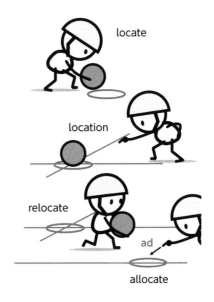

▶ **locate** [lóukeɪt]
場所に置く
➡ 動 位置決めする

▶ **location** [loukéɪʃ(ə)n]
locate + ion (こと)
➡ 名 位置、場所

▶ **relocate** [rìːlóukeɪt]
再び (re) locate する
➡ 動 場所を動かす、移転する

▶ **allocate** [ǽləkèɪt]
向かって (ad) locate する
➡ 動 割り当てる

▶ **locomotive** [lòukəmóutɪv]
場所 (loc) を動く (mot) もの
➡ 名 機関車

- locate
- location
- relocate
- ad
- allocate

local は「地域の」を表すので、「地産地消」は "**local production for local consumption**"。「ロコモコ」はハワイの料理で、その造語のロコの部分は英語の **local** の意味とスペイン語の loco が掛けられているようです。

例文

My office is going to <u>relocate</u> but the exact <u>location</u> of the new office has not been <u>allocated</u> yet. 私の事務所は移転することになっているが、新しい事務所の正確な場所はまだ割り当てられていない。

シグナル signal

sig
印（しるし）

　交通信号は **traffic light** または **traffic signal**。**signal** の中の sign は「印（しるし）」「表すもの」と捉えると同源語が理解しやすいです。sign は「兆候」「表れ」や「標識」「看板」のような「印」。「署名」は **signature**。**significant** は「印がついている」から「重要な」「（量などが）かなりの」。＜向かって (ad) 印をつける＞のが **assign**（割り当てる、指定する）で、名詞形の **assignment** には「任務」「割り当て」のほか「宿題」の意味があります。＜すっかり (de) 印を表す＞のが **design** です。

▶ **★sign** [sáɪn]
印、表すもの
➡ 名 印、兆し、標識　動 署名する

▶ **signature** [sígnətʃər]
sign ＋ ure（すること）
➡ 名 署名

▶ **significant** [sɪgnífɪk(ə)nt]
顕著にする＋ ant（特性の）
➡ 形 重要な、意味を表す

▶ **assignment** [əsáɪnmənt]
向かって (ad) 印をつける (sign) こと
➡ 名 仕事、割り当て、宿題

▶ **★design** [dɪzáɪn]
印 (sign) をすっかり出す (de) ＝表す
➡ 名 デザイン　動 デザインする

sign

signature

design

「手話」は **sign language**。芸能人などの「サイン」は **autograph** です。

例文

His **assignment** was to make the **sign** **significant**. He had a
graphic **designer** **design** a system to highlight the **sign**.
彼に割り当てられた仕事は、その標識をわかりやすくすることだった。彼はグラフィックデザイナーに標識を強調するシステムをデザインさせた。

115

暮らしの中の
カタカナ語から学ぶ

 **テレビ**

まだまだテレビは生活の中心。テレビの操作や番組の中にも英単語を学ぶヒントはたくさんあります。テレビを観ながら英単語を覚えましょう。

★**television** (テレビ) [→p.118]
　vision [→p.118]
　visual [→p.118]
　★visit [→p.118]
　★view [→p.118]
　review [→p.118]
　☆advise [→p.118]

remote control (リモコン)
[→p.120, 127]
　motion [→p.127]
　motor [→p.127]

contrast (コントラスト) [→p.120]
　counter [→p.120]
　★control [→p.120]
　★country [→p.120]

volume (ボリューム) [→p.119]
　revolve [→p.119]
　involve [→p.119]

「リモコン」は**remote controller**のこと。**remote**は＜re＋mote＞で、reは「離れて」でmoteは**motion**（モーション）や**motor**（モーター）のmoteで「動く」。**movie**の項を見てください (p.127)。

entertainment (エンタメ) [→p.102]
　　on demand (オンデマンド) [→p.124]
　　★demand [→p.124]
　　broadcast (ブロードキャスト) [→p.125]
　　☆abroad [→p.125]

variety (バラエティ)
　　variation [→p.121]
　　various [→p.121]
　　variable [→p.121]

assistant (アシスタント) [→p.122]
　　assist [→p.122]
　　constant [→p.122]
　　distant [→p.122]
　　instant [→p.122]

★**weather** (ウェザー) [→p.128]
　　★wind [→p.128]
　　★window [→p.128]
　　★wing [→p.128]

staff (スタッフ) [→p.123]
　　stick [→p.123]
　　★stamp [→p.123]
　　★step [→p.123]

audition (オーディション) [→p.126]
　　audio [→p.126]
　　audience [→p.126]
　　obey [→p.126]

★**movie** (ムービー) [→p.127]
　　★move [→p.127]

テレビ ★television

vis
見る

　television の tele は「遠く」で、vis, vid は「見る」。テレワーク（**telework**）は「離れたところでの勤務」つまり「在宅勤務」。vis の名詞形が **vision**（視力・視野・未来像）。al がついて形容詞になると **visual**（視覚の）。**visit** は＜見に（vis）行く（it）＞。**view** は「視界」「景色」。「再び」「後ろ」の re がつく **review** は「見直す」「吟味する」「批評する」。「見直す」の意味では **revise**（改訂する）もあります。日本語でビデオというともっぱら「録画」ですが、もともとの意味は「見る」なので「テレビゲーム」は **video game** といいます。**advise** は＜向かって（ad）見る＞から「意見を言う」で「助言する」。

▶ **vision** [víʒ(ə)n]
　見る（vis）こと（ion）
　➡ 名 視力、視野、未来像

▶ **visual** [víʒu(ə)l]
　vis ＋ al（〜の）
　➡ 形 視覚の

▶ ★**visit** [vízət]
　見に（vis）行く（it）
　➡ 動 訪問する 名 訪問

▶ ★**view** [vjuː]
　見られるもの
　➡ 名 視界、見方

▶ **review** [rivjúː]
　再び（re）見る（view）
　➡ 動 批評する、見直す

vision
visual

vis

visit

it

view

review

　これらはラテン語由来ですが、ゲルマン語由来の語にもつながった語があります；それらは v ではなく w で始まっていて「見る→知る→賢い」から **wise**（賢い）、**wit**（機知、とんち）、**witness**（目撃する、目撃者）などです。

例文

From a cost point of <u>view</u>, we need to <u>review</u> our plan to <u>visit</u> the <u>television</u> studio. 費用の観点から、私たちはテレビスタジオを訪れる計画を見直す必要がある。

ボリューム volume

vol
巻く、転がす

　テレビやラジオの**volume**のvolは「巻く」「転がす」こと。巻物にした書き物のイメージで、多ければ巻物は大きくなっていきます；音量のほか容量や分量を表します。小説などで「第2巻」のことを**vol. 2**などといいますね。**revolve**は＜何度も(re)転がる＞で「回転する」。**revolver**は「回転式連発拳銃」。**revolution**は「大改革」。**evolution**は＜外に(ex)回転＞で「発展」「進化」。**involve**は＜中に(in)巻く＞で「巻き込む」で、人を何かに参加させたり話に巻き込んだりするときによく使います。

▶ **volume** [vá(:)ljəm]
巻物
→ 名 容量、音量、巻

▶ **revolve** [rivá(:)lv]
何度も(re)回る(volve)
→ 動 回転する

▶ **revolution** [rèvəlú:ʃ(ə)n]
再び(re)回る(vol)こと(ion)
→ 名 革命、大変革

▶ **evolution** [èvəlú:ʃ(ə)n]
回って(vol)外に出る(ex)
→ 名 進化、発達

▶ **involve** [ɪnvá(:)lv]
中に(in)巻く(volve)
→ 動 巻き込む

volume

revolve　　　involve

　これらはラテン語由来の語ですが、元をたどってゲルマン語由来の英語につながっている語が★**walk**(歩く)です。「札入れ」の**wallet**も同源のようなのですが、これは感覚的に「巻く」と結びつく気がします。

例文

<u>Vol. 2</u> of the story is about a person who was <u>involved</u> in the <u>Revolutionary</u> War.
その物語の第2巻はアメリカ独立戦争に巻き込まれた人に関するものだ。

コントラスト contrast

contra
対して、反対

テレビの画像調整で出てくる **contrast** は、contra（反対に）＋ st（立つ）なので「対照」「対比」。contra はスポーツの「反撃」の意味の **counter** と同じです。リモコン（**remote controller**）の **control** は、「そのままだと回って（roll）しまうのを反対向きに回そうとする」ことで「制御する」「コントロールする」というイメージです。＜対面状態になる＞ことが **encounter**（直面する、出くわす）。**country**（田舎）は＜街の反対の土地（terra）＞の意味だと捉えるとわかりやすいです。

▶ **counter** [káuntər]
反対の
➡ 形 反撃の

▶ ★**control** [kəntróul]
反対方向に（contr）回す（rol）
➡ 名 抑制、制御、支配　動 制御する

▶ **contrary** [ká(:)ntrèri]
contr ＋ ary（の）
➡ 形 反対の

▶ **encounter** [ɪnkáuntər]
counter 状態にする（en）
➡ 動 直面する、出くわす

▶ ★**country** [kʌ́ntri]
反対側（contr）の土地（terra）
➡ 名 田舎、国

counter

control

encounter

contradiction は「反論」、**counter-clockwise** は「反時計回りの」。**counterpart** は「対応する人」、つまり異なった状況にいるけれど対等、同等の人のことです。ここで挙げたのは「数える」の **count** とは異なる語源で、バーの「カウンター」は「勘定台」なので数える方の count の仲間です。

例文

I <u>encountered</u> a leader who claimed to <u>control</u> the <u>country</u>.
私はその国を支配していると主張するリーダーと出くわした。

バラエティ variety

var
変わる、異なる

　テレビのバラエティ番組やバラエティショップ。この**variety**の仲間の語をついでに覚えると役立ちます。バリエーション（**variation**）は聞いたことがあると思いますが、**vary**は動詞で「変わる」「変動する」、その名詞形が**variation**で「変化」「変動」「変種」。**various**は形容詞で＜varyが多し(ous)＞なので「さまざまな」。「できる」の意味のableがつくと**variable**で「変わりやすい」「不安定な」。バラエティ番組を見るときはこれらの語を思い出してみましょう。

▶ **variation** ［vèəriéiʃ(ə)n］
var ＋ ation（すること）
➡ 名 変化、変動

▶ **vary** ［véəri］
変わる
➡ 動 変わる、異なる

▶ **various** ［véəriəs］
変化が多し (ous)
➡ 形 さまざまな

▶ **variable** ［véəriəb(ə)l］
vary ＋ able（できる）
➡ 形 変わりやすい

▶ **varied** ［véərid］
vary ＋ ed（した）
➡ 形 変化に富んだ

variation

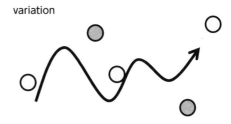

various

value（価値）の仲間の**valuable**（高価な、有益な）と間違えないでくださいね。varの覚え方は「さまざまにばらつく」ことから、「ばらばら (var-var)」または「ばら (var)つく」。

例文

I have worked with a wide <u>variety</u> of people from <u>various</u> backgrounds. Their thoughts are <u>varied</u>.　私はさまざまな背景を持つ多様な人々と働いたことがある。彼らの考えはいろいろだ。

アシスタント assistant

　バラエティ番組に出てくるアシスタント (**assistant**) は＜向かって (ad) 立つ (st) 人 (ant)＞なので「寄り添って立つ人」。sta は **stand** のことで、＜ずっと (con) 立つ＞のが **constant** (絶え間ない、一定の) で、＜離れて (dis) 立つ＞のが **distant**。＜近くに (in) 立つ＞のが **instant** (即座の)；名詞形の **instance** は手近な「実例」。＜いっしょに (con) 成り立つ＞のが **consist** (構成する) です。**resist** は＜反して (re) 立つ＞から「抵抗する」。＜外に (ex) 立つ＞のが「見えるところに立っている」から **exist** (存在する)。

▶ **★stand** [stǽnd]
立つ
➡ 動 立っている、立つ

▶ **constant** [kɑ́(:)nst(ə)nt]
ずっと (con) 立っている (st)
➡ 形 絶え間ない、一定の

▶ **distant** [díst(ə)nt]
離れて (dis) 立つ (sta)
➡ 形 遠い

▶ **instant** [ínst(ə)nt]
近くに＝中に (in) 立つ (sta)
➡ 形 即座の

▶ **consist** [kənsíst]
いっしょに (con) 立つ (sta)
➡ 動 (〜から) 成る

理科で「定数」をCと書くのは **constant** の略で、「抵抗値」を表すRは **resistance** のことです。**stable** は＜立っていることができる (able)＞で「安定した」。stable には「馬小屋」の意味もあります。

例文

> The <u>assistant</u> was standing a short <u>distance</u> from the president so that he could respond <u>instantly</u> to his request.　要求に即座に応じられるよう、アシスタントは社長からすぐ近くの距離に立っていた。

スタッフ　staff

st
刺す

　stick には「くっつける」「動けなくする」という意味もありますが、これは「棒（ステッキ）で突き刺して動けなくする」というところからきているようです。のりがついたステッカー＝**sticker** も「固定する」という意味から。**staff** は、もともと、偉い人が棒を杖や武器にしていて、文字通りその人を支えていたものをいい、それが転じて支えになる「参謀」を staff というようになって、やがて「職員」「局員」を意味するようになったようです。紙をとめる「ホチキス」は **stapler**。**stamp** は押しつける「刻印」「切手」。どれも「しっかり」の感覚です。

▶ **stick** [stík]
　突き刺すもの
　➡ 名 棒きれ、杖、ステッキ

▶ **sticky** [stíki]
　つきやすい
　➡ 形 ねばねばした

▶ **stapler** [stéiplər]
　つけるもの
　➡ 名 ホチキス

▶ ★**stamp** [stǽmp]
　踏みつける
　➡ 名 切手、スタンプ

▶ ★**step** [step]
　踏みつける
　➡ 名 歩み、階段　動 歩く

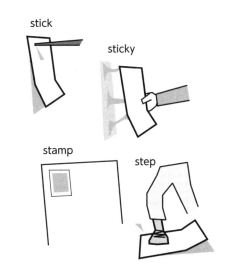

stick

sticky

stamp

step

　車が動けなくなることを **stuck** すると言いますが、これは **stick**（動けなくなる）の過去分詞の形。**sting** は「刺す」、**stingy** は刺すように鋭い→「ケチな」。**stimulate** は「刺激する」。**instinct** はなんとなく感覚を突っつかれる「本能」です。裁縫の **stich**（ステッチ、縫い目）も同様の感覚で捉えられます。

例文

> **The old man slowly started <u>stepping</u> down the stairs using his <u>stick</u> and with the help of <u>staff</u>.** 年老いた男は、杖を使ってスタッフの助けを借りながら、ゆっくりと階段を下り始めた。

オンデマンド　on demand

mand
求める

　オンデマンドは**on demand**。**on**は「〜次第」の意味の前置詞です。**demand**は「要求」なので**on demand**は「要求があり次第」「要求に応じて」。**on arrival**は「到着後すぐ」、**on request**は「要求があり次第」。**demand**は＜完全に (de) ゆだねる (mand)＞なので「要求」。**command**も似ていて「命令」。**commander**は「司令官」です。**recommend**は＜再度 (re) ゆだねる＞で「推薦する」。**mandate**は「命令」で**mandatory**は「義務的な」。「mando無用」(問答無用)で覚えられますか？

▶ **★demand** [dɪmǽnd]
強く (de) 求める (mand)
➡ 名 要求、需要　動 求める

demand

▶ **command** [kəmǽnd]
すっかり (con) 求める (mand)
➡ 名 命令　動 命令する

▶ **commander** [kəmǽndər]
command ＋ er (する人)
➡ 名 司令官

command

commander

▶ **recommend** [rèkəménd]
再度 (re) 求める (mand)
➡ 動 勧める

▶ **recommendation** [rèkəmendéɪʃ(ə)n]
recommend ＋ ation (すること)
➡ 名 勧め、勧告

recommend

「需要と供給」の「需要」は**demand**で「供給」は**supply**です。supplyはsupplementと関連させると覚えやすいです (p.148)。

例文

The <u>commander</u> <u>demanded</u> that we ignore the <u>recommendation</u> of the supervisor.
その指揮官は我々に上官の勧告を無視するよう求めた。

ブロードキャスト　broadcast　cast 投げる

　ニュースに出てくるキャスターは**broadcaster**。**broadcast**は「放送」「放送する」で、＜広く(broad)投げる(cast)＞から来ています。**broad**は「広い」；ニューヨークの**Broadway**のbroadです(p.30の**abroad**参照)。**cast**は「(放物線状に)投げる」で**broadcast**は「広く投げる」。アンテナ塔から八方に投げることを考えれば「放送」がイメージできます。役者に配役を投げるのが**cast**でその名詞形は**casting**。溶けた鉄を放物線状に鋳型に入れる様子から「鋳物」を意味する**casting**もイメージできます。

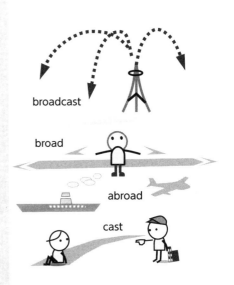

▶ **broadcast** [brɔ́:dkæst]
　広く(broad)投げる(cast)
　➡名 放送　動 放送する

▶ **broad** [brɔ:d]
　広い
　➡形 幅の広い

▶ ☆**abroad** [əbrɔ́:d]
　広い(broad)ところへ
　➡副 海外に(で)

▶ **cast** [kæst]
　投げる、放る
　➡動 投げる、役を決める　名 配役

▶ **casting**
　投げる(cast)こと(ing)
　➡名 配役すること、鋳物

broadcast

broad

abroad

cast

「投げる」は「投げる」でも、**object**(p.169)のjectの「ピュッ」と投げる「射」のイメージと違って、「放物線状に投げる」「放つ」のがcastです。「視線」や「影響」や「疑い」や「一票」などを投げかけるときに**cast**が使われます。

例文

They chose the <u>cast</u> knowing the program would be <u>broadcasted</u> abroad.
彼らは番組が外国で放送されることを知った上で配役を選んだ。

オーディション audition

　「オーディションを勝ち抜いた」の **audition** は＜聞く (audi) こと (tion) ＞。**audio** (オーディオ、音声の) の audi と考えれば理解できます。**auditorium** (講堂) は一見難しいですが「場所を表す ium がついた」と理解すれば忘れません。**audience** は「聴衆」で、**audit** は事情を聴かれる「監査」。形は似ていませんが、**obey** という「言うことを聞く」「従う」の意味の語がありますが、これも同源の語でかつ重要語ですからいっしょに覚えましょう。

> ▶ **audio** [ɔ́ːdiòu]
> 　聞く
> 　➡ 形 音声の
> ▶ **auditorium** [ɔ̀ːdɪtɔ́ːriəm]
> 　聞く (audi) ところ (rium)
> 　➡ 名 講堂、ホール
> ▶ **audience** [ɔ́ːdiəns]
> 　聞く (audi) こと (ence)
> 　➡ 名 聴衆
> ▶ **audit** [ɔ́ːdət]
> 　聞きとる
> 　➡ 名 監査
> ▶ **obey** [oubéɪ]
> 　向かって (ob) 聞く (ey)
> 　➡ 動 従う

電気店で見る AV は **audio-visual** の略で「視聴覚」です。**visual** は p.31 参照。

例文

The members of the audience in the auditorium obeyed the instruction. 講堂にいた聴衆の人々はその指示に従った。

ムービー ★movie

mov, mot, mob
動く

movie は「活動写真」。イギリスでは cinema といいますが、昔、日本では「死ね」を連想させるのを嫌ってギリシャ語由来の「キネマ」と呼ぶこともあったそうです。motion は「動き」で motor は「動かすもの」。＜後ろへ、離して (re) 動かす＞のが remove（取り除く、移動させる）で、＜前へ (pro) 動かす＞のが promote（促進する、昇進させる）。「動かすことができる (ible)」電話が mobile phone で、自動 (auto) で動くのが automobile（自動車）。オートバイは motorbike または motorcycle。

move

remove

mobile

▶ ★**move** ［muːv］
動く、動かす
➡ 動 動く、移動する

▶ ★**remove** ［rimúːv］
後ろへ (re) 動かす (move)
➡ 動 移動する、取り除く

▶ **promote** ［prəmóut］
前へ (pro) 動かす (mote)
➡ 動 促進する、昇進させる

▶ **mobile** ［móub(ə)l］
動かすことができる (ible)
➡ 形 移動できる

▶ ★**moment** ［móumənt］
（時の）動き
➡ 名 瞬間、しばらく

move は「心を動かす」場合にも使われて、"I was moved." は「感動した」で、moving は「感動的な」。心を動かす「動機」（モチベーション）は motivation。心の動きが外に (e) 出てくるのが emotion（感情）。テレビなどの「リモコン」（remote controller）の remote は＜re（離して）動かす＞で「離れた」です。

例文

I was using my <u>mobile</u> phone at the <u>moment</u> the vehicle suddenly started <u>moving</u>.
車が突然動き出したそのとき、私は携帯電話を使っていた。

ウェザー ★weather （風が）吹く

「天気予報」は **weather report**。**weather** はさかのぼると古英語の「（風が）吹く」の意味のようで、**wind** や **window** やさらに **wing**（翼）につながります。ラテン語由来の語では w の部分が v になっていて、**ventilation** につながります。車のエアコンに「vent」の表示があると思います。語源は異なりますが同じく w で始まる語には「水」に関係した語がありますのでついでに意識できます；**water**（水）、**wash**（洗う）、**wet**（湿った）、**winter**（冬）。

▶ ★**wind** [wínd]
風
➡ 名 風

▶ ★**window** [wíndou]
風（wind）の目（ow）
➡ 名 窓

▶ ★**wing** [wíŋ]
風を送るもの
➡ 名 翼

▶ **ventilation** [vènt(ə)léiʃ(ə)n]
風を吹かせること
➡ 名 通風、換気

▶ ★**winter** [wíntər]
wet な季節
➡ 名 冬

weather

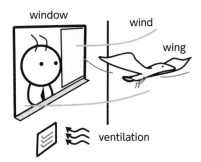
window
wind
wing
ventilation

「〜かどうか」の意味の接続詞の **whether** と間違えないでください。**whether** は「いずれか（either）」に what などの疑問詞についている wh がついていることから「どちらか一方」となっていると考えれば間違えません。

例文

I open the <u>window</u> once in a while even in <u>winter</u> so that the fresh <u>wind</u> comes in for <u>ventilation</u>.
私は、換気のために新鮮な風が入り込むよう、冬でもときどき窓を開ける。

暮らしの中の
カタカナ語から学ぶ

⑩ 病院

病院にもカタカナ語がたくさんあります。いろいろ眺めて英語を見つけながら、退屈な待ち時間を英単語学習に変えましょう。

clinic（クリニック）[→p.100]
　client（クライアント）[→p.100]
　recline [→p.100]

★operation（オペ）
[→p.42]

medical（メディカル・医療の）
medicine

★nurse station
（ナースステーション）
　nutrition（栄養）
　nursing（介護・養育）

rehabilitation
（リハビリテーション）
[→p.135]
　★able [→p.135]
　habit [→p.135]

generic（ジェネリック）
[→p.134]
　☆generation [→p.134]

influenza（インフルエンザ）
[→p.130]
　★fly [→p.130]

donor（ドナー）
[→p.132]
　★add [→p.132]

maternity（マタニティー）
[→p.136]
　★matter [→p.136]

health（ヘルス）
[→p.131]
　★whole [→p.131]
　★healthy [→p.131]
　★holiday [→p.131]

implant（インプラント）
[→p.133]
　★plant [→p.133]
　★plate [→p.133]
　★place [→p.133]

インフルエンザ flu

flu
流れる、飛ぶ

flu は **influenza** を短くしたもので「流行性感冒（インフルエンザ）」。**influenza** は＜in（中へ）flu（流れる）＞で成り立ちは **influence**（影響）と同じです。**flow** は「流れる」で **flood** は「洪水」「流入」。話が流暢なのは **fluent**。**float** は「浮かぶ」。このあたりが「流れる」のイメージで、「飛ぶ」の **fly** や「逃亡する」の **flee** も同じ語源からきています。**flight** は **fly** の名詞形で「空の旅」「フライト」。

▶ **influence** [ínfluəns]
中へ (in) 流れる (flu)
➡ 名 影響　動 影響を与える

▶ **flow** [flou]
滑るように流れる
➡ 動 流れる　名 流れ

▶ **float** [flout]
浮かぶ
➡ 動 浮かぶ、浮く

▶ ★**fly** [flai]
翼で飛ぶ
➡ 動 飛ぶ

▶ **flee** [fli:]
飛んで逃げる
➡ 動 逃亡する

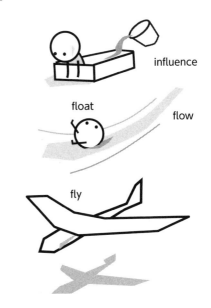

influence

float

flow

fly

世間に与える影響力が大きい行動をとる人物のことを「インフルエンサー」（**influencer**）といいます。**influence** はこのように人々の思想や考えに働きかけるような「影響」を指し、つまり考えが「流れ込む」イメージなので、その点で「衝撃的な影響」を意味する **impact** とは異なります。

例文

The sailor was <u>influenced</u> by the visitor and tried to <u>flee</u> from the boat. Later he was found <u>floating</u> on the sea.
その水兵は訪問者に影響され、船から逃げようとした。後に彼は海上に浮いているのを発見された。

ヘルス　health

heal, hole
全

　health は「健康」ですが、「ホールケーキ」(**whole cake**) や「ホールトマト」 (**whole tomato**) の **whole** と同じ語源で、「全体」「完全」など、「万全」ということばが **health** につながりやすいです。つまり「健全」。健全な状態にする行為が **heal** (癒す) で **healing** は「癒し」「ヒーリング」。**heal** に名詞を作る接尾辞 -th がついたものが **health** です。「神に仕える完全な形」が **holy** (神聖な)で、さらにそこから「神聖な日」として **holiday** (祭日) につながります。

▶ ★**whole**　[houl]
完全な、健全な
➡ 形 全体の、丸ごとの

▶ ★**healthy**　[hélθi]
health＋y
➡ 形 健康な、健全な

▶ **heal**　[hi:l]
治す
➡ 動 治る、治す

▶ **holy**　[hóuli]
神に仕えられる完全な状態にある (y)
➡ 形 神聖な

▶ ★**holiday**　[há(:)lədèɪ]
神聖な (holy) 日 (day)
➡ 名 祝日、休日

whole

healthy

heal

サニタリーというカタカナ語を聞くことがあります；**sanitary** は「公衆衛生の」「衛生的な」。これも「健全な」「正気の」という意味の **sane** につながり、これは「健全な心」という意味のラテン語に由来するようです。

例文

I want my __whole__ body to __heal__ so I can be __healthy__.
私は健康でいられるために、体全体を治したい。

ドナー donor

do
与える、施す

donorは「ドナー＝臓器の提供者」としてよく使われますが、それ以前に「寄付する人＝寄贈者」という意味があります。doは「与える」「施す」という意味で、**donation**（寄付）などということばになじみがあると思います。**pardon**は＜per（完全に）与える＞で「容赦」；聞き返すときの "**Pardon me?**" は「ごめんなさい？」の意味です。**dose**（投薬する）も「与える」から。**data**（データ）も「与えられたもの」に由来し、**date**（日付）も、手紙に発信日を記すときに書かれた同語源のラテン語に由来するそうです。

- ▶ **donation** [dounéiʃ(ə)n]
  施す
  - ➡ 名 寄付、提供物
- ▶ ★**add** [æd]
  向かって (ad) 与える (d)
  - ➡ 動 付け加える (p.16)
- ▶ **addition** [ədíʃ(ə)n]
  - ➡ 名 追加
- ▶ **pardon** [pá:rd(ə)n]
  完全に (par) 許す (don)
  - ➡ 動 許す　名 恩赦
- ▶ **dose** [dous]
  与える
  - ➡ 動 投薬する　名 1回分の服用量

donation

add

ad

日本語の「旦那」「檀那」は、なんとdonorと同源語のサンスクリット語由来の仏教語で、「贈り物」→「お布施」→「お布施を出す信者」となって、さらに、妻が夫を呼ぶときにも使うようになったそうです。字は音から当てられた表音漢字で、「檀家」は「家」をつけた造語なのだそうです。

例文

He, in <u>addition</u> to asking for her <u>pardon</u> for the incident, made a <u>donation</u> to her cause.　彼は、事故に対して彼女の許しを請うことに加えて、彼女の運動に寄付をした。

インプラント　implant

pla, plain, plan
平らな

　歯科医で行うimplantはdental implantのことで、失われた歯根に代えて骨に埋め込む人工歯根のことをいいます。inは「中に」で、このplantは「植える」。plantはもともと植物や植物を育てることを表しましたが、その「大きくしていく」感覚からやがて工業設備を建造していく作業からその建物（工場）をplantと呼ぶようになったようです。さらにさかのぼると、「平ら」の意味になります；平らなところに植えるのがplantです。「平ら」に関わるplで始まる語がたくさん見つかるので一気に覚えられます（p.188）。

▶ ★**plant** [plǽnt]
　平らにする➡植物を育てる
　➡ 動 植える　名 植物、工場

▶ ★**plate** [pléɪt]
　平らなもの
　➡ 名 皿、板

▶ **plain** [pléɪn]
　平らな
　➡ 形 平易な、明白な　名 平野

▶ ★**place** [pléɪs]
　平らに広げる➡広い道
　➡ 名 場所　動 置く

▶ **replace** [ripléɪs]
　再び（re）置く（place）＝置きなおす
　➡ 動 取って代わる、交換する

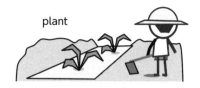
plant

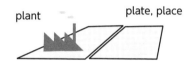
plant　　　plate, place

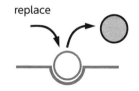
replace

transplantは＜越えて（trans）植える＞ので臓器などを「移植する」。プランター（**planter**）は草花を植える「栽培容器」です。**platform**（プラットフォーム）は「平らな形」から。

例文

> The retired <u>plant</u> manager received a silver <u>plate</u>. The new manager who <u>replaced</u> him <u>placed</u> a <u>plain</u> <u>plant</u> on her desk for decoration.　引退した工場長は銀製の皿を受け取った。彼の後任になった新工場長は、飾りつけのために簡素な植物を机に置いた。

ジェネリック generic

gen
生まれ

ジェネリック医薬品は特許が切れて一般化された医薬品のことで、**generic**は「一般的な」。**general**（一般の）、**generally**（一般に）も含めてgenは「生まれ」を意味します。**generation**（世代）は「同時期に生まれた」。**gentle**（優しい）は「生まれの良い」からで、**kind**も同源です。**gentleman**（紳士）は「生まれの良い人」。**genius**は生まれながらの「天才」で、**generous**は「気前の良い」。**engine**（エンジン）は「中から生み出す」もの。genは「源」や「元」の「ゲン」と結びつけるとイメージしやすいです。

▶ ★**general** [dʒén(ə)r(ə)l]
生まれの同じ種族全体の
➡ 形 一般的な、全体的な

▶ ☆**generation** [dʒènəréiʃ(ə)n]
同じ時代に生まれた
➡ 名 世代

▶ **gentle** [dʒént(ə)l]
生まれの良い
➡ 形 優しい、親切な

▶ **gentleman** [dʒént(ə)lmən]
gentleな人 (man)
➡ 名 紳士

▶ **generous** [dʒén(ə)rəs]
高貴な生まれの性質を持つ
➡ 形 気前の良い

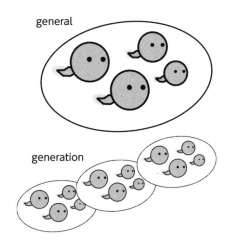

general

generation

genderは性別の「性」で、トランスジェンダー（**transgender**）は身体的特徴上の性別と、本人の性自認が一致していない状態＜性を越えている (trans) こと＞として理解できます。

例文

Gentlemen in his **generation** are **generally** **gentle**.
彼の世代の紳士は一般に優しい。

リハビリ rehabilitation

hab, hib
持っている

rehabilitationは「再び(re)できる(able)状態になること」。ableは「できる」ですが、もとの形は**rehabilitation**の中にあるようにhab、hibの形で「持っている」。**habit**は持っている「癖」「習慣」。**exhibit**＜外に(ex)持ち出す＞で「展示する」；フィギュアスケートの**exhibition**は競技ではなく「見せる演技」。in(中)がつく**inhabit**は「中に(in)すみかを持っている」から「居住する」；**inhabitant**は「住民」「生息動物」。ableに「反対」の意味のdisがつくと**disable**(できない)；**disability**は「障がい」です。**disable**(できない)；形容詞**disabled**は「障害のある」の意味になり、優先席などの表示で見られますが、前向きな見方をするためにかわりに**challenged**を使う場合もあります。

habit

exhibit

ex

- ▶ **＊able** [éɪb(ə)l]
  持っている
  ➡ 形 することができる
  ableの名詞形ability
- ▶ **habit** [hǽbɪt]
  持っている (hab) 状態
  ➡ 名 習慣、癖
- ▶ **exhibit** [ɪgzíbət]
  外で (ex) 持つ (hib)
  ➡ 動 展示する
- ▶ **inhabitant** [ɪnhǽbət(ə)nt]
  中に (in) 居を持つ (hab) 人 (ant)
  ➡ 名 住民、生息動物
- ▶ **disable** [dɪséɪb(ə)l]
  否定 (dis) able
  ➡ 動 動作しないようにする

prohibitは「前もって (pro) 抑える」から「禁止する」。

例文

He quit the <u>habit</u> of sitting all the time and sought <u>rehabilitation</u> to regain the <u>ability</u> to walk. 彼はいつでも座っているという習慣をやめて、歩く能力を取り戻すためのリハビリを探した。

マタニティー maternity

mat, pat
母、父

　maternityは「妊婦のための」。mother（母）と同源です。同じ「母」に由来する語がmaterial（材料）で、衣類などの「生地」や「原料」「材料」「題材」「資料」の意味でも使われ、「母材」という日本語に結びつきます。これはmatterの形容詞形で、matterは「重要な事案」の意味で使われます。母とくれば父ですが、「父」に由来する語がpatternで「父（pater）のような手本とすべきもの」から。「父のように守ってくれる」のがpatronで「後援者」「常連客」。patriotは「愛国者」。

▶ ★**matter** [mǽtər]
　幹、材料
　➡ 名 事　動 重要である

▶ **material** [mətíəriəl]
　matter＋al（の）
　➡ 名 材料

▶ **pattern** [pǽtərn]
　父のように手本とすべき
　➡ 名 様式、模様、手本

▶ **patron** [péitr(ə)n]
　父のように守ってくれる
　➡ 名 後援者

▶ **patriot** [péitriət]
　祖国を愛する者
　➡ 名 愛国者

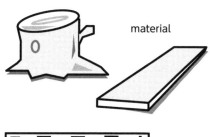

material

pattern

maternity leaveは「出産休暇」。「母語」は**native language**または**mother tongue**です。

例文

Her <u>maternity</u> outfit was made with a weird <u>pattern</u> and <u>material</u> but it didn't <u>matter</u> to her.
彼女の妊婦服は奇妙な模様と材質でできていたが、それは彼女にとってはどうでもよかった。

暮らしの中の
カタカナ語から学ぶ

⑪ スポーツ

スポーツの中でもカタカナ語はたくさん出てきます。

stretch (ストレッチ) [→p.139]
 ★straight [→p.139]
 ★strict [→p.139]
 stress [→p.139]

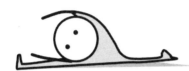

competition (コンペ) [→p.142]
 compete [→p.142]
 repeat [→p.142]

☆serve (サーブ) [→p.55]
★receive (レシーブ) [→p.47]
toss (トス) [→p.137]
★attack (アタック) [→p.137]
block (ブロック) [→p.137]

sudden death
(サドンデス) [→p.137]
 ★suddenly [→p.137]
 ★death [→p.137]
 ★die [→p.137]
 ★dead [→p.137]

 ★draw (ドロー) [→p.141]

バレーボールでは動詞が覚えられます。serve (供給する)、receive (受け取る)、toss (ポンと投げる)、attack (攻撃、攻撃する)、block (塊、ふさぐ、阻止する)。

ネガティブな言い方なので最近では使われませんが急に勝敗が決まるサドンデス (sudden death) は「突然死」。sudden が「突然の」という形容詞で副詞形が suddenly (急に)。death は「死」ですが、動詞は die、形容詞は dead です。

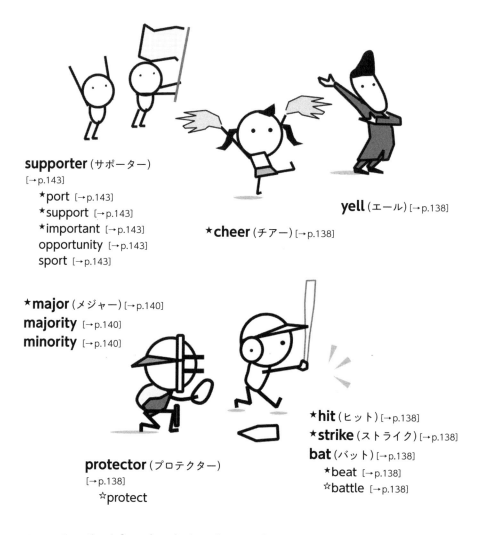

supporter (サポーター)
[→p.143]
　　★port [→p.143]
　　★support [→p.143]
　　★important [→p.143]
　　opportunity [→p.143]
　　sport [→p.143]

yell (エール) [→p.138]

★**cheer** (チアー) [→p.138]

★**major** (メジャー) [→p.140]
majority [→p.140]
minority [→p.140]

★**hit** (ヒット) [→p.138]
★**strike** (ストライク) [→p.138]
bat (バット) [→p.138]
　　★beat [→p.138]
　　☆battle [→p.138]

protector (プロテクター)
[→p.138]
　　☆protect

チアーリーダー (**cheerleader**) の **cheer** は「励ます」。「エールを送る」のエールは **yell**[jel] で、「大声で叫ぶ」「どなる」「エールを送る」。
野球などで使う防具の **protector** は「**protect** するもの」で **protect** は「保護する」；語源は＜前を (pro)tect (覆う)＞。ヒット (**hit**) は「打つ」「たたく」「なぐる」「当たる」。ストライク (**strike**) は「ぶつける」「なぐる」など。野球のコールの **strike** の語源は「**strike** すべき球」、つまり「いい球」ということから。**bat** は「こん棒」「打つ」；これと **beat** (打ち勝つ、打つ) は同源です。

ストレッチ　stretch

str
伸ばす、引っ張る

　手足を伸ばすストレッチ（**stretch**）。str には「伸ばす」の意味があります。**straight** は「まっすぐな」。気持ちが「ぴんと引っ張られる」と **strict**（厳しい）。精神が引っ張られるのは **strain** や **stress**。後ろに（re）引っ張って「制限する」のが **restrict** で名詞形は **restriction**（制限）。（境界線を）引っ張って引き離す（dis）のが **district**（地域）。

- ▶ ***straight** ［streɪt］
  まっすぐ伸ばされた
  ➡ 形 まっすぐな

- ▶ ***strict** ［strɪkt］
  まっすぐに引っ張る
  ➡ 形 厳格な

- ▶ **stress** ［stres］
  すごく引っ張る
  ➡ 名 重圧、緊張

- ▶ **restriction** ［rɪstríkʃ(ə)n］
  強く引っ張ること
  ➡ 名 規制、制限

- ▶ **district** ［dístrɪkt］
  引っ張って離された（dis）地域
  ➡ 名 地域、地区

stretch

strict

stress

restriction

re

　語源は異なりますが、**string**（ひも、楽器の弦）、**strap**（ひも、吊革）も「引っ張る」イメージの語です。

例文

> At the competition the coach was very <u>strict</u> and <u>restricted</u> us.
> That caused a lot of <u>stress</u>.
> 競技会ではコーチはとても厳しく、私たちに制約をかけた。それが強いストレスの原因になった。

メジャー ★major

maj, mag/min
大きい/小さい

　メジャーリーグ (**major league**) はかつては「大リーグ」と呼ばれましたね。**major** (多数の、大きい) はもとは比較を表す「より大きい」の意味でした。動詞で「専攻する」の意味にもなります。その名詞形が **majority** (大多数)。最大値に由来するのが **maximum**。逆に小さい方は **minor** (より少ない) と **minority** (少数派)。**minus** (マイナス) も同源です。**mayor** は大きい「市長」。地震のエネルギーの大きさを示すのが **magnitude** (マグニチュード)。「為す」「作る」を表す接尾辞 -fy がついた **magnify** は「拡大する」です。

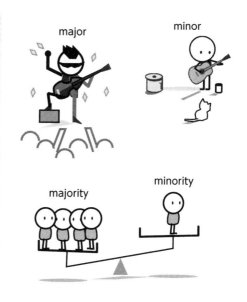

▶ **majority** [mədʒɔ́:rəti]
より大きいもの
➡ 名 大多数、過半数

▶ **minor** [máinər]
より少ない
➡ 形 さほど大きくない

▶ **minority** [mənɔ́:rəti]
より少ないもの
➡ 名 少数派

▶ **mayor** [méiər]
より大きい
➡ 名 市長

▶ **magnitude** [mǽgnitjù:d]
大きさの度合い
➡ 名 大きさ

major

minor

majority

minority

ほかにも、**magnificent** (壮大な) などがあり、**majesty** (威厳) は **Majesty** になると「陛下」です。

例文

The <u>mayor</u> gained strong support from the <u>majority</u> of the citizens. He still has <u>minor</u> issues but will be able to <u>magnify</u> his power. 市長は市民の中の大多数から強い支持を得た。彼には今も小さな問題はあるが、彼の力を拡大することができるだろう。

ドロー ★draw

draw, drag
引く

　試合の**draw**は「引き分け」。drは遡ればp.103のtraと同じで、「引っ張る」。**draw**は線や図や絵を「描く」。カーテンなどを引くのも**draw**です。**drawer**は＜引くもの＞で「引き出し」、＜引く人＞では線を引く「製図家」。**drawing**は線を引いてできた「製図」。**withdraw**は「引っ込める」「撤回する」。**drag**は「引きずる」。プロ野球のドラフト（**draft**）会議は有望選手を「引っ張る」会合でもともとは「徴兵」の意味から。ドラフトビール（**draft beer**）は「樽から引っ張り出す」イメージです。

▶ ★**draw** [drɔː]
（線を）引く
➡ 動 引く、描く

▶ **drawing** [drɔ́ːɪŋ]
draw したもの
➡ 名 絵

▶ **withdraw** [wɪðdrɔ́ː]
抗して（with）引く（draw）
➡ 動 引き出す、引っ込める

▶ **drag** [dræg]
引く
➡ 動 引きずる

▶ **draft** [dræft]
引く
➡ 名 下書き、徴兵　動 下書きを書く

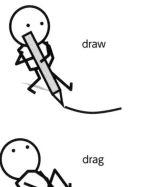

draw

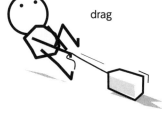

drag

日本語でも最近は使わない下着を表す「ズロース」という語は**drawers**のことのようです。**a pair of drawers**；発音は[drɔːrz]。

例文

The artist withdrew his draft proposal to draw a drawing of the school's mascot.
その芸術家は学校のマスコットの絵を描くという素案を撤回した。

コンペ competition

pet
求める

　ゴルフなどの「コンペ」は **competition**（競争、競技会）。動詞は **compete** で＜いっしょに (con) 求める (pete)＞から「競争する」。＜再び (re) 求める (pete)＞のは **repeat**（繰り返す）。＜向かって (ad) 求める＞と **appetite**（欲求、食欲）で、食欲を促すものが **appetizer**（前菜）。**petition** は「嘆願」。**compete** のファミリーには **competitor**（競争相手）、**competitive**（競合力のある）、**competent**（能力のある）などがあります。

▶ **compete** [kəmpíːt]
いっしょに (con) 求める (pete)
➡ 動 競争する、
（競技などに）参加する

▶ **repeat** [ripíːt]
再び (re) 求める (pete)
➡ 動 繰り返す

▶ **appetite** [ǽpɪtàɪt]
向かって (ad) 求める (pete)
➡ 名 食欲、欲求

▶ **appetizer** [ǽpɪtàɪzər]
appetite を促すもの
➡ 名 前菜

▶ **petition** [pətíʃ(ə)n]
求める (pete) こと (ion)
➡ 名 嘆願

compete

con

repeat

re

　コンピテンシー（**competency**）という語を聞くことがありますが、これは企業の人材開発で「成果につながる行動特性」の意味で使われます。**competition** と似た意味の **contest**（コンテスト）は＜いっしょに (con) 試す (test)＞から「競争」。

例文

I have a <u>competitive</u> personality and <u>repeatedly</u> <u>compete</u> in competitions. <u>Appetite</u> doesn't work well. 　私は負けず嫌いな性格で、競技会へ繰り返し参加する。（でも）欲求ではうまくはいかない。

サポーター supporter

port
港、運ぶ

　サッカーの「サポーター」の**supporter**は「支援する人」。portは「港」「運ぶ」で、ホテルなどで荷物を運んでくれる人は**porter**。sub（下）をつけた**support**は「下支えする」。**important**は＜中に（in）運び入れるほどに＞「重要な」で、**opportunity**は＜港（port）に向かって（ob）行く＞から「（好都合の）機会」。＜越えて（trans）運ぶ＞**transport**は「輸送」。＜中に（in）運ぶ＞のが**import**（輸入）で＜外に（ex）運ぶ＞のが**export**（輸出）。**passport**は港（port）を通過（pass）するためのもの。**portable**は「運べる」（p.33）。

▶ ★**port** [pɔ:rt]
港
➡ 名 港

▶ ★**support** [səpɔ́:rt]
下で（sub）支える（port）
➡ 動 支持する

▶ ★**important** [ɪmpɔ́:rt(ə)nt]
運び込むほど重要な
➡ 形 重要な

▶ **opportunity** [à(:)pərtjúːnəti]
港（port）に向かって（ob）行く
➡ 名 機会

▶ **transport**
名 [trǽnspɔːrt] 動 [trænspɔ́:rt]
越えて（trans）運ぶ（port）
➡ 名 輸送　動 輸送する

port　porter

important

transport

　学校の科目で体育はPE（**Physical Education**）で"**sports**"ではありません。**sport**はもともとdisport（気晴らし）のdiが欠落した語なので日本語の「体育」の意味とは少し違います。

例文

Airports play an **important** role to **support** **transportation**.
空港は輸送を支える重要な役割を果たす。

タイムマシンがあったなら

　私には70歳代の生徒さんが複数いて、いつも私に自信と感動をくださいます。

　カルチャーセンターに「ABCから習いたい」と言って申し込まれたAさんは、家族に「今さら英語？」と笑われたそうなのです。でも、1年経たずに中2レベルの英語をほぼ間違いなく書けるようになりました。街の看板や掲示の英語が認識できるようになってきたそうで、それは英語が生活の中に浸透してきたということです。さらに1年経って、中学3年生の問題をほとんど正解できるようになりました。わずか2年で世界が変わったのです。

　別の70歳代のBさんは、それまでほかのクラスで文法の練習問題などをされてきました。それまでの学習によって、読書するのに十分な能力があると思えたので、興味のある分野の英語の本を何冊かお貸しして読書に挑戦してもらいました。そして数週間後、「初めて英語の本を1冊読み切った」という報告をしてくださいました。さらにもう1冊読み切ったときにはさらに慣れて、「英語のまま理解できるという『快感』を味わえるようになった」とおっしゃっていました。大きな前進です。

　「今さら遅い」などということは決してありません。それはなにごとにも言えますし、何歳の方であっても同様のことが言えます。もしも、タイムマシンで過去に行けて、過去の自分にひとつだけ助言ができるとしたら、何を言いますか？　私なら過去の自分に「今からでも遅くないよ」と言うでしょう。

　ここで未来の皆さんに代わって、私が現在の皆さんに助言します。「単語も文法も、ゆっくりでも、今からでも、決して遅くないですよ」。

PART ③

気になるカタカナ語
から学ぶ

　テレビや新聞、雑誌などで、カタカナになった「エイゴ」をよく目にします。ずっと前から何度も耳にした語もあると思います。「聞いたことがある」「なんとなく知っている」で済ませていることも多いと思いますが、それではもったいないのです。きちんと「英語」として理解して覚え、ついでに関連語を覚えたら、英語の語彙は飛躍的に増えるはずです。

　語源的な成り立ちの説明と関連語を挙げているのはPart 2と同様です。意味が見えてくると、テレビや新聞などで使われているカタカナ語まじりの内容が急に理解できてくると思います。そういうことに興味が向けば、英単語もますます記憶に定着していきます。知らないのに知ったかぶりをしたり、知らなくて恥ずかしい思いをしたりすることは少なくなっていくはずです。

気になる
カタカナ語から学ぶ

1 近ごろ気になるカタカナ語

テレビや新聞でいつの間にか使われているカタカナ語。人に聞くタイミングを逃して、なんだかモヤモヤしたまま過ごしてしまうことは誰にもあります。それらを知って、ついでに関連英単語も覚えてしまえば一石二鳥です。

commit（コミット）[→p.147]
　★message [→p.147]
　★promise [→p.147]

compliance（コンプライアンス）[→p.148]
　★full [→p.148]
　★complete [→p.148]

DV（ドメスティックバイオレンス）[→p.149]
　　domestic [→p.149]
　　dominant [→p.149]
　　dome [→p.149]

response（レス）[→p.151]
　sponsor [→p.151]
　responsibility [→p.151]

appointment（アポ）[→p.150]
　appoint [→p.150]
　disappoint [→p.150]

barrier-free（バリアフリー）[→p.152]
　　bar [→p.152]
　　embarrassed [→p.152]
　　barcode [→p.152]

コミット commit

mis, mit
送る

「コミットする」「コミットメント」などと耳にします。mit は **missile**（ミサイル）や **message**（メッセージ）の mis/mit で「送る」の意味。**mission complete**（任務完了）の **mission** も同じです。**commit** は「いっしょに（com）送る」「完全にゆだねる」から「約束する」の意味にも。**promise** は＜人の前に（pro）に送り出す＞で「約束」。**permit** は＜通して（per）送る＞なので「通過させる」から「許可する」。**admit** は＜向かって（ad）送る＞で「認める」；**admission** は「入るのを許可する」から「入学」や「入場料」。

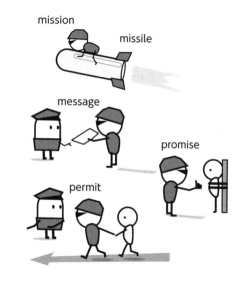

mission
missile
message
promise
permit

- ▶ **mission** [míʃ(ə)n]
  送られること
  ➡ 名 使節、特殊任務

- ▶ ★**message** [mésɪdʒ]
  送られたもの（age）
  ➡ 名 伝言

- ▶ ★**promise** [prá(:)məs]
  人の前に（pro）に送り出す
  ➡ 名 約束　動 約束する

- ▶ **permit** [pərmít]
  通して（per）送る（mit）
  ➡ 動 許可する

- ▶ **admit** [ədmít]
  向かって（ad）送る（mit）
  ➡ 動 認める

emission ＜外に（ex）運ぶこと＞（排出）は「ゼロエミッション」として聞いたことがあると思います（排出物をゼロにすること）。**submit** は＜下に（sub）送る＞「提出する」。**dismiss** は＜離す側に（dis）に送る＞「却下する」「退ける」「解散する」。**omit** は「除外する」。

例文

> **In his <u>message</u>, he <u>admitted</u> his mistake and <u>promised</u> not to do that again.**　彼のメッセージの中で、彼は間違いを認め、二度とそんなことはしないと約束した。

コンプライアンス compliance

ple, pli
満ちた

よく耳にするコンプライアンス (**compliance**) は「法令遵守」。pliの部分は「満ちた」(full) の意味です。たどれば同じでも古英語由来がfullでラテン語由来がpli。ですから **plenty** (十分な) はfullに相当する語です。complianceは法令を<完全に (com) 満たすこと>で、同様に **complete** は「完成させる」。「向かって」(ad) がつくと **accomplish** (達成する)。プラスの **plus** も同源です。**fill** は「満たす」で、full + fillの **fulfill** は「満たす」「果たす」。**plentiful** (豊富な) は経由の違うふたつの語の合体です。

▶ **★full** [fúl]
満ちている
➡ 形 いっぱいの、満杯の

▶ **plenty** [plénti]
十分に満ちている
➡ 形 十分な

▶ **★complete** [kəmplíːt]
完全に (com) 満たす (ple)
➡ 形 完全な 　動 完成させる

▶ **accomplish** [əká(ː)mplíʃ]
完全 (comple) に至る (ad)
➡ 動 達成する

▶ **★fill** [fíl]
fullにする
➡ 動 満たす

「サプリ」と呼ばれる **supplement** は<下から (sub) たっぷりに満たす>ことで、摂取しきれない栄養分などを補って満たすもの。動詞は **supply** で「供給する」を表します。これらは「たっぷりのple」と覚えましょう。

例文

They didn't have <u>plenty</u> of money to <u>complete</u> the project. They were <u>filled</u> with a feeling of <u>accomplishment</u> after the <u>completion</u>.　彼らはプロジェクトを完結させるには十分な資金がなかった。彼らは完結後に達成感に満たされた。

デーブイ
DV domestic violence dome
家

　社会問題になっているDVは**domestic violence**（家庭内暴力）。**domestic**は「家庭の」の意味で、dome部分は「家」を表します。もともと「神の棲む家」から、大聖堂の屋根の形が「ドーム」と呼ばれるようになったので東京ドームのドームと同じ語源ということになります。**domestic**は「国内の」の意味でも使われます。con（いっしょに）がつくと**condominium**（分譲住宅）。**dominant**は「主要な」。インターネットでの住所に相当するようなドメイン（**domain**）も同源です。

▶ **dome**　[doum]
　神の棲む家➡大聖堂
　➡ 名 丸屋根、ドーム
▶ **condominium**　[kà(:)ndəmíniəm]
　いっしょに（con）＋家（dom）
　➡ 名 分譲マンション＝condo
▶ **domestic**　[dəméstɪk]
　家（dom）の（ic）
　➡ 形 国内の、家庭内の
▶ **dominant**　[dá(:)mɪnənt]
　家の主人が支配する
　➡ 形 主要な、有力な、支配的な
▶ **domain**　[douméin]
　家の地所
　➡ 名 領土、ドメイン

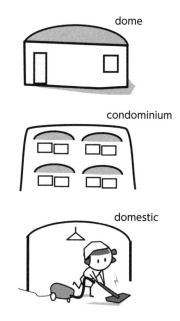

dome

condominium

domestic

「家庭の雑用」は**domestic chores**。飛行機の国内線は**domestic flight**で、空港の表示でよく目にすると思います。

例文

Domestic violence is a <u>dominant</u> issue in some places but not at this <u>condominium</u>.　家庭内暴力が主要な問題になっているところもあるが、このマンションはそうではない。

アポ appointment

point
突く、指す

「約束」のことを「アポ」などといいますが、これは **appointment** のこと。<向かって (ad)point >することで point は「突く」なので、「(日時という)一点を指す」と考えると打ち合わせや診察の「約束」「予約」のイメージとつながります。**appoint** は「人に向ける」イメージで「任命する」。「反対」の dis がつく **disappoint** は「指されない」「指名されない」ことから「落胆させる」。ボクシングの「パンチ」はもともとあった「打ち抜く」の意味の **punch** があてられたもので、「正確に時間を打ち抜く」イメージで **punctual** は「時間に正確な」。

appointment

disappointed

appoint

punctual

▶ **appoint** [əpɔ́int]
<向かって (ad) 指す>
➡ 動 任命する、指名する

▶ **disappoint** [dìsəpɔ́int]
指名から外れる (dis)
➡ 動 失望させる

▶ **disappointment** [dìsəpɔ́intmənt]
disappoint + ment (状態)
➡ 名 失望

▶ **punch** [pʌn(t)ʃ]
刺す、打ち抜く
➡ 動 穴をあける、こぶしで殴る

▶ **punctual** [pʌ́ŋ(k)tʃu(ə)l]
正確に時間を打ち抜く
➡ 形 時間に正確な

同じ「約束」「予約」でも **reservation** は列車や飛行機の座席やレストランやホテルの「予約」(p.108)、**promise** は人が相手に対して宣言するような意味の「約束」(p.147)です。

例文

He was <u>disappointed</u> because the director <u>appointed</u> someone else as the leader of the team. That may be because he was not <u>punctual</u>. 監督がほかの人をチームのリーダーに指名したので彼はがっかりした。それは彼が時間に正確でなかったからかもしれない。

レス　response

spons, spond
約束する

「レスがない」のresは**response**（返答）。このsponsは「約束」の意味。動詞は**respond**（反応する、応答する）。「つながっていて引けばすぐに反応する」といったイメージでとらえられます。テレビ番組の**sponsor**は「約束する人」から「保証人」「後援者」。**responsible**は形容詞で「責任のある」；名詞**responsibility**は「責任」。**correspond**は＜いっしょに（con）反応する＞で「一致する」「文通する」。

> ▶ **respond**　[rispá(:)nd]
> 対して（re）約束する（spond）
> ➡ 動 反応する、応答する
>
> ▶ **sponsor**　[spá(:)nsər]
> 約束する（spons）人（or）
> ➡ 名 保証人、後援者
>
> ▶ **responsible**　[rispá(:)nsəb(ə)l]
> 約束し応えることができる（able）
> ➡ 形 責任のある
>
> ▶ **responsibility**　[rispà(:)nsəbíləti]
> responsible + ity（こと）
> ➡ 名 責任
>
> ▶ **correspond**　[kò:rəspá(:)nd]
> いっしょに（con）反応する（spond）
> ➡ 動 一致する、文通する

respond

responsible

同じ「返答」でも**reply**は「折り（ply）返す（re）」というイメージなのでスピードより内容重視のイメージです。**spouse**は「約束した相手」つまり「配偶者」。**spontaneous**は「引けば即座に反応する」というイメージで「自発的な」「自然な」という形容詞です。

例文

The <u>sponsor</u> is <u>responsible</u> for <u>responding</u> to the emails from the clients.
スポンサーは顧客からのメールに応答する責任を持っている。

バリアフリー barrier-free

bar
棒、横棒

bar はもともと「棒」「横棒」を意味して、法廷での被告人の前の「仕切り」の棒から「法廷」の意味になり、さらに酒場のカウンター代わりの棒から「酒場」を意味するようになりました。「仕切り」としての **barrier** がイメージできて、それがないのが **barrier-free** です。**barricade** も障害物で、「邪魔された状態」「困らされた状態」が **embarrassed**（きまりの悪い）。棒状の暗号（code）が **barcode** です。bar は日本語の「棒（ボー）」と似ているので覚えやすいです。

▶ **bar** [bɑːr]
横木で仕切られた場所
→ 名 酒場、カウンター

▶ **barrier** [bǽriər]
bar で作ったもの
→ 名 防壁、障害

▶ **barricade** [bǽrəkèid]
樽で作られた障害物
→ 名 障害物

▶ **embarrassed** [ɪmbǽrəst]
bar の中に入れられる (en)
→ 形 恥ずかしい、きまりの悪い

▶ **barcode**
棒状の符号
→ 名 バーコード

bar

embarrassed

棒を材料にした「樽」が **barrel**、酒場で付き添う人 (tender) が **bartender** です。「バリスタ」（イタリア語：barista）はエスプレッソを出すバール（イタリアの bar）で働く人で、英語の **barrister** は「法廷弁護士」。**barbecue**（バーベキュー）も「肉を焼くための bar」から。

例文

He was <u>embarrassed</u> at the <u>bar</u> because the <u>bartender</u> wore the same shirt as his. バーテンダーが自分と同じシャツを着ていたので、彼はバーできまりの悪い思いをした。

気になる
カタカナ語から学ぶ

② 今さら聞けないカタカナ語

　ずっと前から耳にして、自分でも使ったりしているのだけど、ほんとうはよくわかっていないカタカナ語もあります。もしかしたら長年の疑問が解けるかもしれません。断片的な知識がつながって、いろいろなことが見えてくるかもしれません。ついでに英単語も覚えてしまいましょう。

★**offer**（オファー）[→p.154]
　　★different [→p.154]
　　★conference [→p.154]

★**respect**（リスペクト）[→p.155]
　　☆expect [→p.155]
　　★special [→p.155]

infrastructure（インフラ）[→p.156]
　　structure [→p.156]

media（メディア）[→p.157]
　　★middle [→p.157]

version（バージョン）[→p.158]
　　universe [→p.158]

deposit（デポジット）[→p.159]
　　positive [→p.159]

concise（コンサイス）[→p.160]
　　★decide [→p.160]
　　★decision [→p.160]
　　★scissors [→p.160]

application（アプリ）[→p.161]
　　★apply [→p.161]
　　reply [→p.161]

オファー *offer

fer
運ぶ

　条件の提示や申し出を受けたときに「オファーがあった」などといいます。この **offer** は＜向かって (ob) 運ぶ (fer) ＞「申し出」「申し出る」；ものごとを運んで行くことです。この fer は運ぶ船のフェリーボートの **ferry** につなげて記憶できます。離れて (dis) 運ばれたのが **different**（離れた、別々の）。＜いっしょに (con) 問題を持ち寄る (fer) ＞のが **conference**（会議）。＜好きなものを前へ (pre) 運ぶ (fer) ＞のが **prefer**（好む）。＜重荷の下で (sub) 身を運ぶ＞のが **suffer**（患う）。＜越えて (trans) 運ぶ＞のが **transfer**（乗り換える）。

▶ ***different** ［dífr(ə)nt］
　離れて (dis) 運ばれた (fer)
　➡ 形 異なる

▶ ***conference** ［ká(:)nf(ə)r(ə)ns］
　いっしょに (con) 持ち寄る
　➡ 名 会議

▶ **prefer** ［prɪféːr］
　前へ (pre) 運ぶ (fer)
　➡ 動 より好む

▶ ***suffer** ［sʌfər］
　重荷の下で (sub) 運ぶ (fer)
　➡ 動 患う、害を被る

▶ **transfer** ［trænsféːr］
　越えて (trans) 運ぶ (fer)
　➡ 動 転勤する、乗り換える

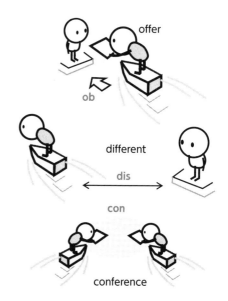

offer

ob

different

dis

con

conference

refer は＜元へ (re) 運ぶ＞から「元をたどる」で「引用する」「参照する」。
fare は「旅する」ときの料金なので特に「運賃」を指し、**farewell party**（送別会）の **farewell** は「よき旅を」から。

例文

I **prefer** to stay in a **different** hotel and appreciate your **offer** to **transfer** my bags.　私は違うホテルに泊まりたいので、バッグを運んでくれるというあなたの申し出に感謝します。

リスペクト ★respect

spec
よーく見る

　「尊敬する」の意味で使うことがある「リスペクト」のspecは「よーく見る」を意味して、**respect**は「尊敬して二度見するほど」。スペクタクル（**spectacle**）は「見せ場」「（素晴らしい）光景」。ex（外）がついた**expect**は何が起こるか興味津々で外を見るところを想像して覚えましょう。**special**（予期する）は「見分ける」をイメージして「特別な」。＜下から（sub）ジッと見る＞**suspect**は「疑いを持って見る」から「疑う」の意味に。＜中を（in）よく見る＞のが**inspect**（検査する）。＜密かによく見る＞**spy**（スパイ）と関連させて覚えましょう。

▶ ☆**expect** [ɪkspékt]
　外を（ex）見る（spec）
　➡動 予想する、予期する

▶ ★**special** [spéʃ(ə)l]
　目に見える特別な
　➡形 特別な

▶ **suspect** [səspékt]
　下から（sub）見る（spec）
　➡動 怪しく思う、疑う

▶ **inspect** [ɪnspékt]
　中を（in）よく見る（spec）
　➡動 検査する

▶ ★**especially** [ɪspéʃ(ə)li]
　special＋ly（副詞に）
　➡副 とりわけ

expect
ex
suspect
sub
inspect
in

　「スペックが高い」などというspecは**specification**を短くしたもので「仕様書」のこと。工業製品などの性能や寸法など（諸元）を具体的（**specific**）に書き出したものです。レストランでいう**specialty**は「得意料理」。

例文

I was expecting a special inspection, especially of the food.
特に食べ物に関して、特別な検査があるのかと予想していた。

インフラ infrastructure

struct
築く

　「インフラの整備を」などというのは **infrastructure**（社会基盤設備）のこと；infra は「下」の意味で **structure** は「構造」で「下支えする基盤構造」。＜いっしょに (con) 築く (struct)＞のが **construction**（建設）。反対 (de) がついたのが **destroy**（破壊する）。＜向かって (ob) 築く＞のが **obstruct**（妨害する）。頭の中 (in) に知識や手順を築くのが **instruct**（指導する、指示する）；**instruction**（手順書、指示）や **instructor**（指導者）という語はなじみがあると思います。

▶ **structure** [strʌ́ktʃər]
　築く (struct)
　➡ 名 構造

▶ **construct** [kənstrʌ́kt]
　いっしょに (con) 築く (struct)
　➡ 名 建設　動 建設する

▶ **destroy** [dɪstrɔ́ɪ]
　築く (struct) の反対 (de)
　➡ 動 破壊する

▶ **obstruct** [əbstrʌ́kt]
　向かって (ob) 築く (struct)
　➡ 動 妨害する

▶ **instruct** [ɪnstrʌ́kt]
　頭の中 (in) に築く (struct)
　➡ 動 指示する

structure

construct

obstruct　ob

instruct　in

under construction は「工事中」。考えや姿勢が「建設的」なのが **constructive**。逆に「非建設的」なのが **destructive**。オブストラクション (**obstruction**) はスポーツの中で妨害行為の反則で使われる語です。

例文

The <u>construction</u> company <u>destroyed</u> the <u>structure</u> without following my <u>instruction</u>.
建設会社は私の指示に従うことなく建築物を破壊した。

メディア　media

med
中間

　新聞やテレビなど「マスコミ」のことを**media**といいますね。これは**mass media**を短くしたものです。**medium size**（Mサイズ）からわかるようにmed/midは「中」の意味。「平均」を意味する**mean**という語があって、この「普通の」から「意地悪な」の意味に変化した**mean**が中学の教科書や童話に出てきます。**midnight**は「真夜中」で、否定の意味のinを使った**immediate**は＜中間（medi）がない（in）＞のであるから「間髪容れず」の意味の「即刻の」「直の」になり、**immediate supervisor**は「直属の上司」。

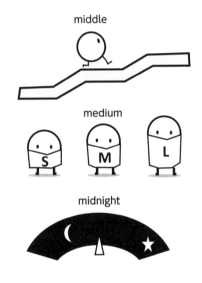

middle

medium

midnight

- ▶ **★middle**　[míd(ə)l]
  mid + le（の）
  ➡ 形 中央の　名 中央
- ▶ **medium**　[míːdiəm]
  中位の、媒体
  ➡ 形 中位の、Mサイズの
- ▶ **mean**　[miːn]
  真ん中にある
  ➡ 名 平均　形 意地悪な
- ▶ **midnight**　[mídnàit]
  夜の真ん中
  ➡ 名 深夜0時　形 深夜の
- ▶ **immediate**　[ɪmíːdiət]
  間（med）に入るものがない（in）
  ➡ 形 即座の、いちばん近い

midnightは日本語の「深夜」とは少し違って、「深夜0時」のことを指します。「深夜に」は**in the middle of the night**。ただ、形容詞としては**midnight movie**（深夜映画）、**midnight program**（深夜番組）などのように「深夜の」の意味で使います。「意味する」の**mean**についてはp.170を見てください。

例文

His <u>immediate</u> supervisor is <u>mean</u>, and insisted he return to work in the <u>middle</u> of the night.
彼の直属の上司は意地悪で、真夜中に彼に仕事に戻るように要求した。

バージョン version

version は「変えられたもの」。vers の部分は「向き」や「回転」を表します。＜反対に (re)verse する＞のが reverse (逆転) で、reversible は「裏返し可能な」。＜すっかり (con)vert すること＞は conversion「変換」。「いっしょに」の意味の con がつくと「いっしょに回す」conversation (会話)。「人々に向けて (ad) 情報を向ける」のが advertisement (広告) で、短くすると ad；「アドバルーン」は広告の風船。1年が回ると anniversary。ひとつ (uni) にされたものが universe (宇宙) や university (大学)。

▶ **reverse** [rivə́ːrs]
反対に (re) 向く (vers)
➡ 名 逆進　動 反対にする、後退する

▶ **conversion** [kənvə́ːrʒ(ə)n]
すっかり (con) 向きを変えること
➡ 名 変換

▶ **advertisement** [ǽdvərtáɪzmənt]
人々に向かって (ad) 情報を向ける
➡ 名 広告

▶ **anniversary** [ǽnɪvə́ːrs(ə)ri]
年 (anni) がぐるりと回る (vers)
➡ 名 記念日

▶ **universe** [júːnɪvə̀ːrs]
ひとつ (uni) にされたもの
➡ 名 宇宙

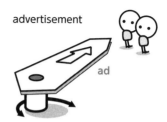

advertisement

ad

anniversary

よく耳にする「ダイバーシティ」(**diversity**) は、＜離して (dis) 向ける (vers)＞で「多様性」。よく誤解されがちなのですが、diver + city ではありません。

例文

> **They started a <u>conversation</u> about the <u>advertisement</u> for their 10th <u>anniversary</u>.** 彼らは10周年記念の宣伝に関する会話を始めた。

デポジット　deposit

pos, pone
置く

　ホテルにチェックインするときに「デポジット」という語を聞きます。これは万が一ホテル側に損害が及んだ場合の補償のための「預け金」で、＜下に (de) 置く (pos) ＞からなっています。口座の預かり金（預金高）、振り込みも**deposit**。pos は **position**、**disposable** (p.90) の pos です。意図して肯定的、前向きに置かれた感じが**positive**。**component** は＜いっしょに (con) 置く (pone) ＞ということなので「構成要素」「部品」「成分」。「後ろに」を意味する post がついた**postpone** は予定を「後ろに置く」ことから「延期する」。

▶ ***position** [pəzíʃ(ə)n]
　置く (posit) こと (ion)
　➡ 名 位置

▶ **positive** [pá(:)zətɪv]
　肯定的に置かれた
　➡ 形 積極的な、肯定的な

▶ **opponent** [əpóunənt]
　対して (ob) 置くこと (ponent)
　➡ 名 相手、敵

▶ **component** [kəmpóunənt]
　いっしょに (con) 置く (pone)
　➡ 名 構成要素、部品、成分

▶ **postpone** [pous(t)póun]
　後ろに (post) 置く (pone)
　➡ 動 延期する

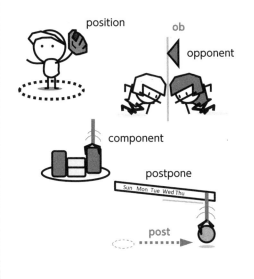

アンプやスピーカーがいっしょになったオーディオ製品の「コンポ」は**component**のことです（component stereo ですが、和製英語です）。GPSは**Global Positioning System**の略で「全地球測位システム」。

例文

The <u>purpose</u> of this <u>deposit</u> is to thank you for your <u>positive</u> attitude toward the correct waste <u>disposal</u>.
　このデポジット（振り込み）の目的は、正しい廃棄物の処理に向けたあなたの積極的な姿勢に感謝することです。

コンサイス concise

cis, cid
切る

　「コンサイス」は「簡潔な」の意味でその名前の辞書があります。conは「すっかり」の意味でciseは「切る」で、＜すっかり（余分なところを）切り落とした＞の意味。**precise**は＜正確に切る＞から「正確な」「精密な」。**decide**や**decision**は＜すっかり（de）切り落とす＝断ち切る＞つまり「決断（を下す）」という感じです。自ら「絶つ」のが**suicide**（自殺）で、切るためのはさみは**scissors**です。

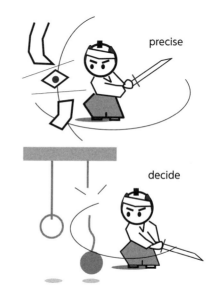

▶ **precise** [prɪsáɪs]
　事前に (pre) ＝正確に切る
　➡ 形 正確な

▶ ★**decide** [dɪsáɪd]
　すっかり (de) 切り落とす
　➡ 動 決める、決断する

▶ ★**decision** [dɪsíʒ(ə)n]
　decideすること (ion)
　➡ 名 決定、決断

▶ **suicide** [sú(:)ɪsàɪd]
　自ら (sui) を切る (cide)
　➡ 名 自殺

▶ ★**scissors** [sízərz]
　切る道具
　➡ 名 はさみ

precise

decide

ほかにも「ディシジョンメーカー」という語を聞くと思います。**decision maker**は「決定を下す人」です。「決定をする」は**make a decision**といいます。

例文

　My husband has not <u>decided</u> the <u>precise</u> plan but I would support his <u>decision</u> anyway.　夫はまだ、細かい計画は決めてはいないが、私はとにかく彼の決めることを支持するつもりだ。

アプリ application

ply
重ねる

　アプリは**application**の略。動詞の**apply**は＜向かって(ad)重ねる(ply)＞のことで、「適用する」「申し込む」「出願する」。アプリは、特定の目的のために「適応」されたコンピューター・ソフトウェアのこと。「重ねてつける」の意味だとアップリケ(フランス語)という語で理解しやすいでしょう。**reply**は日本語の「折り返す(re)」に相当する「返事する」。「反対」のdisがつくと「折るの反対」のことなので「広げて見せる」から**display**は「展示」。**employ**は仕事の＜中に(en)重ね込む＞から「雇う」で、雇われる人は**employee**(従業員)。

▶ ***apply** [əplái]
　向かって(ad)重ねる(ply)
　➡ 動 適用する、申し込む

▶ **reply** [riplái]
　折り(ply)返す(re)
　➡ 動 応答する

▶ **display** [dɪspléɪ]
　広げて見せる
　➡ 動 展示する　名 展示

▶ **employ** [ɪmplɔ́i]
　中に(en)重ね込む
　➡ 動 雇う

▶ **employee** [ɪmplɔ́ii:]
　employされる人
　➡ 名 従業員

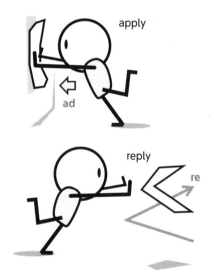

apply
ad

reply
re

ほかにも**imply**という語があります。思いや気持ちを＜中に(in)折り込む(ply)＞ということから「暗示する」「ほのめかす」という意味になります。

例文

He wanted to be <u>employed</u> and <u>applied</u> for the job but the <u>employer</u> never <u>replied</u>.
彼は雇われたくてその仕事に応募したが、雇用者は返答しなかった。

気になる
カタカナ語から学ぶ

 ③ なじみのあるカタカナ語

　使い慣れていて理解しているカタカナ語。でもそれで終わらせてはもったいない。それらと関連させてついでに覚えられる単語がたくさんあります。

happening (ハプニング) [→p.163]
- ★happen [→p.163]
- ★happy [→p.163]
- ★perhaps [→p.163]

relax (リラックス) [→p.164]
- ★release [→p.164]
- ★leave [→p.164]

★**last** (ラスト) [→p.165]

★**popular** (ポピュラー) [→p.166]
- ★people [→p.166]
- ★public [→p.166]

★**grade** (グレード) [→p.167]
- ☆graduate [→p.167]

★**communication**
(コミュニケーション) [→p.168]
- ★common [→p.168]
- ★community [→p.168]

object (オブジェ) [→p.169]
- ★project [→p.169]
- ★subject [→p.169]

memorial (メモリアル) [→p.170]
- ★memory [→p.170]
- ★mind [→p.170]
- ★remember [→p.170]
- mental [→p.170]

★**security** (セキュリティ) [→p.171]
- cure [→p.171]
- ★sure [→p.171]

simulate (シミュレート) [→p.172]
- ★same [→p.172]
- ★similar [→p.172]

★**natural** (ナチュラル) [→p.173]
- ★nation [→p.173]
- ★international [→p.173]

★**pressure** (プレッシャー) [→p.174]
- ★press [→p.174]
- ★express [→p.174]
- ☆impress [→p.174]

comfort (コンフォート) [→p.175]
- ★comfortable [→p.175]
- ★force [→p.175]
- ★effort [→p.175]

collection
(コレクション) [→p.176]
- ☆collect [→p.176]

solution
(ソリューション) [→p.177]
- solve [→p.177]
- ★lose [→p.177]

ハプニング happening hap
偶然

「思いがけない出来事」「偶発的なこと」の意味でハプニング (**happening**) という語をよく使います。動詞の**happen**は「起こる」。同じ「起こる」でも**occur**と少し違うところは「偶発的」の要素がある部分。happenは「降ってくる」という感覚で捉えます。**happy**は降ってくる「幸せ」。**perhaps**は「ひょっとして」の感覚の「たぶん」ですから確度は高くありません。

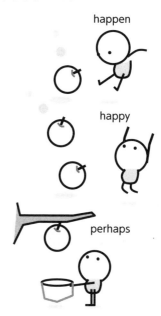

▶ **★happen** [hǽp(ə)n]
偶然 (hap) ＋なる (en)
➡ 動 (偶然に) 起こる

▶ **★happy** [hǽpi]
運 (hap) ＋ y
➡ 形 幸せな

▶ **unhappy** [ʌnhǽpi]
happyでない (un)
➡ 形 不幸な

▶ **★perhaps** [pərhǽps]
偶然 (hap) を通して (per)
➡ 副 ひょっとすると、たぶん

▶ **happiness** [hǽpinəs]
happy ＋ ness
➡ 名 幸福

happen

happy

perhaps

「たぶん」の意味の副詞には**probably**、**perhaps**、**possibly**などがありますが、**probably** (p.84) の確度が最も高く、**perhaps**は五分五分。**possibly** (p.33　possible) は「可能だけど根拠がない」という感じなのでこの中では確度は最も低くなります。

例文

Perhaps your **happiness** also makes people around you **happy**.
たぶん、あなたの幸せはあなたの周りの人も幸せにします。

リラックス relax

lax, lyse
緩い

　relax は＜後ろへ (re) 緩める (lax)＞。＜再び (re) 緩める＞release は「開放する」。「賃貸する」の lease も「(契約によって) 緩めて行かせる」から。＜緩めて離して残す＞のが delay「遅らせる」。このあたりは「ゆるゆる」の感じですが、「分析」を表す analysis は、「難しいことを紐解いてわかるようにしていく」ということで「ゆるゆる」とは少し違います。「置いていく」leave も「緩める」の感覚から捉えることが可能です。仕事から解放されていることも leisure (レジャー、余暇)。

▶ **★release** [rilíːs]
　再び (re) 緩める (lease)
　➡ 動 開放する

▶ **lease** [líːs]
　緩めて行かせる
　➡ 名 リース、賃貸借契約

▶ **delay** [dıléı]
　緩めて (lay) 離して (de) 残す
　➡ 動 遅らせる　名 遅れ

▶ **analysis** [ənǽləsɪs]
　紐解いてわかるように
　➡ 名 分析

▶ **★leave** [líːv]
　その状態にしておく
　➡ 動 放っておく、去る

release

delay

leave

　leave という動詞の感覚をつかむのが難しい人もいるようです。目的語になる対象物から「離れる」という意味なのですが、対象物が **bag** のように小さいものなら「置いて行く」で **school** のように場所なら「去る」。つまり「置き去る」の「置く」にも「去る」にもなると考えると理解しやすいかもしれません。

例文

Please come in and relax. Leave the gate open for another guest whose train is delayed. 中に入ってくつろいでください。電車が遅れているほかのゲストのためにゲートは開けておいてください。

ラスト ＊last

late
遅い

「最後の」の意味の **last** は「最も遅い」の意味から。「より遅い」の形が **later** で、そこからも最上級が生まれて（時間的に）最も遅いから **latest**（最新の）。 **late** の副詞形が **lately**（最近は）。「続く」の意味の動詞の **last** はこの形容詞の last とは違う語ですがいっしょに覚えられます。

- ▶ ＊**late** ［leɪt］
  のろい
  ➡ 形 遅れた、遅い　副 遅く
- ▶ ＊**later** ［léɪtər］
  より遅い
  ➡ 副 後で
- ▶ ☆**latest** ［léɪtɪst］
  最も遅い
  ➡ 形 最新の
- ▶ **lately** ［léɪtli］
  late + ly
  ➡ 副 最近は、この頃
- ▶ ＊**last** ［læst］
  足跡をたどる
  ➡ 動 続く、持ちこたえる

late

later

形容詞の **lasting** は、動詞の方の last の形容詞形で「長続きする」。「あとでまた会いましょう」は **"See you later."**

例文

It's already <u>late</u> at night but it looks like the meeting will <u>last</u> two more hours.
もうすでに夜遅いが、ミーティングはさらに2時間かかりそうだ。

ポピュラー ★popular

popul, pub
人々

popularは「人気のある」ですが、このpopulは「人」のこと。つまりpeople。「人の多さ」がpopulation（人口）。形容詞を作る接尾辞icをつけて「人々の」の意味にしたのがpublic。「公衆浴場」はpublic bathで「公立校」はpublic schoolです。書物などを「公衆のものにする」のがpublish（出版する、発行する）でその名詞形の出版物はpublication。人々の国はrepublic（共和国）。

people

popular

population

▶ ★**popular** [pá(:)pjələr]
people＋ar（のある）
➡ 形 人気のある

▶ ★**people** [pí:p(ə)l]
人々
➡ 名 人々

▶ **population** [pà(:)pjəléiʃ(ə)n]
peopleを形成させること（ation）
➡ 名 人口

▶ ★**public** [pʌ́blɪk]
人々（publ）の（ic）
➡ 形 公共の

▶ **publish** [pʌ́blɪʃ]
publicにする（ish）
➡ 動 出版する

peopleはpersonの複数として扱われます；複数扱いなので注意してください。pop cultureは「大衆文化」。このpopやJ-popやK-popのpopはpopular（music）の略で、「飛び出る」の意味のpopとは違うpopです。

例文

Public bathes are popular among people here.
公衆浴場はここでは人々の間で人気だ。

グレード ★grade

gra, gre
段々、歩を進める

　「グレード」(**grade**)は品質などの高低を表す「等級」「段階」です。それをupさせるのが**upgrade**ですね。graは「段差」を歩むような「歩」。「だんだん色が変わる」のは**gradation**(グラデーション)。「だんだん進む」のが**gradually**で、段(学位)を取得するのが**graduate**(卒業する)。<前に(pro)歩を進める>のが**progress**(進歩)。「下」(de)がついて<段階を歩み降りる>のが**degree**；温度が℃と表されていたら "**degrees Celsius**" と読みます。

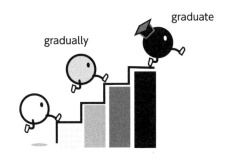

graduate

gradually

▶ **gradually** [grǽdʒu(ə)li]
だんだん (grade) + al + ly
➡ 副 だんだんと

▶ **gradation** [grədéiʃ(ə)n]
段をなすこと
➡ 名 段階的な変化

▶ ☆**graduate** [grǽdʒuèit]
段 (学位) を取らせる
➡ 動 卒業する

▶ **progress**
名 [prá(:)grəs] 動 [prəgrés]
前に (pro) 歩を進める (gress)
➡ 名 進歩 動 進歩する

▶ **degree** [dɪgríː]
段階を歩み降りる
➡ 名 程度、度合い、学位

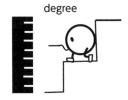

degree

<in (中に) 入れる (gre) > **ingredient** は料理や加工食品などの「材料」のことで、輸入した食品のパッケージに書いてあるので見つけてください。

例文

Gradually he showed great **progress** in the **graduate degree**
program. 彼は大学院課程で徐々に大きな進歩を見せた。

コミュニケーション ★communication

common
共有する

communication は「common にすること」と捉えて、その**common** を「共有する」と捉えると理解がしやすくなります。つまり、**communication** は「情報を共有する」と捉えます。**community** は「共有する社会」。コミュニティバスは地域社会の人のためのバスです。**commonplace** も「共有する」から「ありふれた」。**communist** は「ものを共有する思想」から「共産主義者」です。

▶ ★**common** [ká(ː)mən]
ともに (con) 持つ ＝共有
➡ 形 普通の、共通の

▶ ★**communicate** [kəmjúːnɪkèɪt]
情報を共有する
➡ 動 伝える、通信する

▶ ★**community** [kəmjúːnəti]
共有の状態 (ity)
➡ 名 共同社会、地域社会

▶ **commonplace** [ká(ː)mənplèɪs]
common ＋ place
➡ 形 ありふれた

▶ **communist** [ká(ː)mjənəst]
common ＋ ist (主義の人)
➡ 名 共産主義者

common

communicate

community

common sense は「共有している感覚」ですから「常識」です。ただ、共有している「知識」ではないので「共通した感じ方」「良識」の意味での「常識」です。「共通した知識」の意味の「常識」は **common knowledge** です。

例文

> **It's <u>common</u> to <u>communicate</u> in English in this <u>community</u>.**
> このコミュニティ（地域社会）では英語でコミュニケーションをとるのが一般的だ。

オブジェ object

ject
投げる、射る

　「オブジェ」は主に美術用語で使われる物体、対象などの意味を持つフランス語で、英語では**object**に相当します。**object**は＜向かって(ob)投げる(ject)＞で「投げつけられる対象」から。**objection**は「投げつける」→「異議」。ジェット機の**jet**も同源で、「投げる」は「投げる」でも「射る」というイメージでの「投げる」。＜前へ(pro)射る＞は**project**で「投射する」。＜投げ返す(re)＞のは**reject**(断る)。

▶ **object** 名[á(:)bdʒekt] 動[əbdʒékt]
対して(ob)投げる(ject)
➡ 名物体、対象 動反対する

▶ **objection** [əbdʒékʃ(ə)n]
反対すること(ion)
➡ 名抗議、異議

▶ ★**project** [prá(:)dʒèkt]
前へ(pro)投げる(ject)
➡ 名事業計画、プロジェクト 動推測する

▶ **reject** [ridʒékt]
投げ(ject)返す(re)
➡ 動断る、拒否する

▶ ★**subject** [sʌ́bdʒekt]
下に(sub)投げられた(ject)もの
➡ 名話題、テーマ、教科、主語

object

project

subject

英語の文型で主語を表す**S**は**subject**で、目的語の**O**は**object**。形容詞は**adjective**で「名詞に投げかけられる」と考えればよいと思います。中に(in)がつくと**inject**(注射する)。外へ(ex)がついた**eject**(出す)はカセットやCDの「取り出し」ボタンとしての表示で見ると思います。

例文

The project members objected to the subject and rejected the proposal.
プロジェクトメンバーはその主題に反対し、その提案を却下した。

169

メモリアル memorial

mem
記憶する、考える

memは「記憶」「考える」の意味で、**memorial**は「追悼」。**memory**は「記憶」「思い出」。**mind**は「心」。re（再び）がついた**remember**は「思い出す」、**remind**は「思い出させる」。**mental**は「心の」。**memorial**は亡くなった人に対して使うので、「メモリアルホームラン」というのはおかしくて、そういう場合はかわりに**commemorate**（追悼する）を使いますが、この中にもmemが入っています。

▶ **★memory** [mém(ə)ri]
記憶
　➡ 名 記憶、思い出

▶ **★mind** [maɪnd]
記憶、考え
　➡ 名 心、意見　動 気にする

▶ **★remember** [rimémbər]
再び何度も (re) 思い出す (mem)
　➡ 動 覚えている、思い出す

▶ **remind** [rimáɪnd]
再び (re) 考える (mem)
　➡ 動 思い出させる

▶ **mental** [mént(ə)l]
心 (ment) + al (の)
　➡ 形 心の

mind

memory

remind

考えを語るときの**mean**（意味する）や**mention**（述べる）、**comment**（コメントする、論評する）も同源の語ですから、いっしょに理解しましょう。

例文

I didn't <u>remember</u>. It had completely slipped my <u>memory</u>. Fortunately the note <u>reminded</u> me of the <u>memorial</u> event.

忘れていました。完全に記憶から落ちていました。幸運にもメモがその追悼行事のことを思い出させてくれました。

セキュリティ ★security

cure
気、世話する

cureは「世話」「注意」「心配事」のような意味で、音が「気」に似ているので「気をつけなければいけないこと」と取ると覚えられます。se（離れて）(p.29) がつくと＜cureから離れる＞**secure**になって「安全な」。その名詞形が**security**（安全、保障）で、日本語でいう「ガードマン」は**security guard**。＜cureが多い (ous)＞と**curious**（好奇心の強い）。＜cureを向ける (ad)＞と**accurate**（正確な）。**sure**も**secure**と同じ成り立ちでecが取れて「確信している」で、これにin（中に）がついた**insurance**は「保険」です。

▶ **cure** ［kjuər］
世話する
➡ 動 治療する

▶ **curious** ［kjúəriəs］
その気が多い (ous)
➡ 形 好奇心が強い

▶ **accurate** ［ǽkjərət］
気をそこへ向ける (ad)
➡ 形 正確な

▶ **★sure** ［ʃuər］
se（離れて）＋ cure（気）
➡ 形 確信している

▶ **insurance** ［ɪnʃúər(ə)ns］
in ＋ sure ＋ ance 確実な状態
➡ 名 保険

cure

curious

manicureとpedicureについてはそれぞれp.97とp.99を参照ください。
sureからの派生は**assure**＜ad（向ける）＋ sure＞「保証する」「確信させる」。

例文

I'm <u>sure</u> she is <u>curious</u> about the life <u>insurance</u>.
彼女は生命保険に関してとても知りたがっているに違いない。

シミュレート simulate

sim, semul
同じ、似た

　sim、semulは「同じ」「似た」。**simulation**は「**similar**（似ている）にさせること」。**resemble**のreは強意の働きで「よく似ている」。**assemble**は「似たものが向かって(ad)集まる」ことで、**simultaneous**は「同時の」；**simultaneous translation**（同時通訳）。さらに「作る」の意味のfac (p.74)がついた**facsimile**（ファクシミリ）は似たものを作る「写真電送」。**same**は「同じ」で、sameとよくいっしょに使われる**as**は"all same"が短くなったものです。

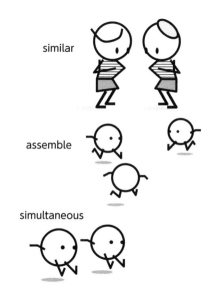

- ▶ ***similar** [sím(ə)lər]
  simil + ar
  ➡ 形 似ている
- ▶ **resemble** [rizémb(ə)l]
  元 (re) によく似ている
  ➡ 動 似ている
- ▶ **assemble** [əsémb(ə)l]
  似たものが向かう (ad)
  ➡ 動 集まる、組み立てる
- ▶ **simultaneous** [sàɪm(ə)ltéɪnɪəs]
  同時に起こる
  ➡ 形 同時の
- ▶ **facsimile** [fæksím(ə)li]
  似たものを作る (fic)
  ➡ 名 写真電送

similar

assemble

simultaneous

中学英語で頻出の***seem**もこの仲間で「～のように見える」で、「同じ」の意味の***same**や、「同じ」→「ひとつ」の***single**も同じ語源から生まれていて、ということは***simple**＜ひとつ(sin)　重ね(ple)＞＝「単純な」も仲間になります。

例文

> The questions <u>seemed</u> <u>simple</u> <u>as</u> all were <u>similar</u> to the previous ones. But no <u>single</u> question was easy.
> 質問は、すべてが前のものと似ていたので簡単に見えた。でもやさしいものはひとつもなかった。

172

ナチュラル ＊natural

nat
生まれる

　natural（自然の）のnatは「生まれる」の意味。**natural resources**は「天然資源」。名詞形は**nature**（自然）。そこの土地で育った人を**native**という形容詞や名詞で表します。**Native American**は「アメリカ先住民」。「母語話者」は**native speaker**。「生まれたところ」を表す**nation**は「国家」それから「国民」。入国審査などで用紙に記入する**nationality**は「国籍」です。

nature

native

nation

▶ ＊**nature** [néɪtʃər]
生まれること
➡ 名 自然

▶ ☆**native** [néɪtɪv]
生まれながらの
➡ 形 生まれ育った、土着の

▶ ＊**nation** [néɪʃ(ə)n]
生まれる (nat) + ion
➡ 名 国、国家

▶ ＊**international** [ìntərnǽʃ(ə)n(ə)l]
国 (nation) の間の (inter)
➡ 形 国家間の、国際的な

▶ **nationality** [næ̀ʃənǽləti]
nation + al + ity
➡ 名 国籍

　「ナイーブな人」などといいますが、その**naïve**も同源です。ただ、「世間知らずの」「愚直な」「だまされやすい」といったような、人をけなした意味を持つので注意してください。

例文

People from many nationalities attended the international conference to discuss nature conservation in their nations.
国々の自然保護について話し合うために、多くの国籍の人がその国際会議に参加した。

プレッシャー ★pressure

press
押す、押しつける

　pressureは「圧力」。動詞は**press**で「押す」「押しつける」のほか「アイロンをかける」の意味もあります。名詞の**press**は「新聞」「報道機関」で「記者会見」は**press conference**；「プレス発表」などということばもありますね。気持ちを外側に(ex)出すのが**express**(表現する)で、気持ちの上から(in)ぐっと押しつけるのが**impress**(印象づける)。名詞形はそれぞれ**expression**と**impression**。気持ちを下げる(de)のが**depress**(落胆させる)で名詞形が**depression**(憂鬱)。**compressor**(コンプレッサー)は「圧縮機」です。

▶ ★**press** [pres]
　➡ 動 押す

▶ ★**express** [ıksprés]
　気持ちを押し(press)出す(ex)
　➡ 動 表現する

▶ ☆**impress** [ımprés]
　上から(in)押し(press)つける
　➡ 動 印象づける

▶ **depress** [dıprés]
　下へ(de)押す(press)
　➡ 動 落胆させる

▶ **compressor** [kəmprésər]
　すっかり(con)押すもの(er)
　➡ 名 圧縮機

press　　express

impress　　depress

コーヒーの「エスプレッソ」はイタリア語espresso；沸騰水を加圧状態で抽出するコーヒー。

例文

At the <u>press</u> conference, he <u>expressed</u> his <u>impression</u> about the movie. He said he was <u>depressed</u>.　記者会見で彼はその映画に関する印象を表明した。彼は落胆したと言った。

コンフォート comfort

fort, force
強い

　海外の古い街には史跡として**fort**（砦）の跡があることがあります。fortは「強い」の意味で**force**（力）と同じ。海外に行くと**Fort**と名のつく砦の史跡があったりします；**comfort**は＜すっかり（con）強い＞から強い砦に囲まれた感じで「心地よいこと」を表し、形容詞形が**comfortable**。＜力（fort）を外に（ex）出す＞のが**effort**（努力）、＜forceを中に（en）加える＞のが**enforce**（行使する）。**comfortable**の否定形が**uncomfortable**（不快な）です。

▶ **★comfortable** [kʌ́mfərtəb(ə)l]
すっかり（con）強く安心
➡ 形 心地よい、快適な

▶ **★force** [fɔːrs]
強い
➡ 名 力、影響力　動 強いる

▶ **★effort** [éfərt]
力を外に出す（ex）
➡ 名 努力

▶ **enforce** [ɪnfɔ́ːrs]
力（force）を加える（en）
➡ 動 押しつける、施行する

▶ **uncomfortable** [ʌnkʌ́mfətəb(ə)l]
comfortableでない（un）
➡ 形 不快な

comfortable

effort　　force

effortがない（-less）のが**effortless**（楽な）という語で、近ごろはファッションの用語で使われています。

例文

I was not <u>forced</u> but I voluntarily made an <u>effort</u> to make things more <u>comfortable</u>.
私は強制されたわけではなく、状況をより快適にする努力を自ら進んで行った。

コレクション　collection

lect, leg
選ぶ、集める

lectは「選ぶ」「集める」の意味で、**collect**は＜いっしょに (con) 集める lect＞。「離れて」の意味のse (p.29) がついた**select**は「選び分ける (se)」という感じなので「吟味をしてえりすぐる」感じです。exがつくと**elect**で「選び出す (ex)」となり選挙で人を選び出すこと。否定のnegがついた**neglect**は「怠る」「無視する」；幼児虐待のひとつの「ネグレクト」は「育児放棄」などと呼ばれます。**elegant**は「外」のexがついていて「選び抜かれた」の意味です。「インテリ」の**intelligent**は「選択できる人」つまり「理知的な人」を表します。

▶ ☆**collect** [kəlékt]
いっしょに (con) 集める (lect)
➡ 動 集める

▶ **select** [səlékt]
分けて (se) 選ぶ (lect)
➡ 動 選ぶ、選択する

▶ **elect** [ɪlékt]
選び (lect) 出す (ex)
➡ 動 (投票で) 選出する

▶ **neglect** [nɪglékt]
選ぶ (lect) ない (neg)
➡ 動 怠る、無視する

▶ **elegant** [élɪg(ə)nt]
選び (leg) 出された (ex)
➡ 形 優雅な、優美な

collect

select

このlectは「読む」の意味にもなって、**lecture**は「読むこと」から「講義」。「スポーツ界のレジェンド」などと言われる**legend**は「読まれるもの」から「伝説」。同じ「コレクション」でも「正しくすること」の方は**correction**です；rectは「まっすぐ」の意味 (p.17) だったことを思い出せば間違えませんね。

例文

His hobby is <u>collecting</u> stamps. He tends to <u>select</u> unusual ones often <u>neglected</u> by other <u>collectors</u>. 彼の趣味は切手を集めることだ。彼はほかの収集家がしばしば無視する変わったものを選びがちだ。

ソリューション solution

solute, solve
解く

　企業の宣伝広告などで「解決」を意味する「ソリューション」という語を見ると思います。動詞の形は **solve**（解決する）；この成り立ちは＜so（＝se 離れる）＋ lve（緩める）＞。もうひとつ頭に「離れる」の意味のab がついた **absolutely** は「完全に」。**solve** の lve の部分の仲間だと **loose**（緩い）があります；ルーズソックスの **loose** です。それから **lose**（失う）や名詞形の **loss**（紛失）や、「～がない」の接尾辞 -less も同源です；「解かれて離れてなくなった」と捉えることができます。

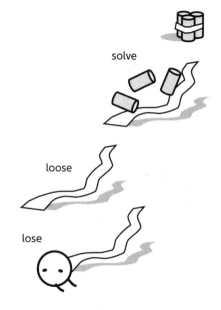

solve

loose

lose

▶ **solve** [sɑ(ː)lv]
解きほぐす
➡ 動 解明する、解決する

▶ **solution** [səlúːʃ(ə)n]
solve すること
➡ 名 解決、解決法

▶ **absolutely** [ǽbsəlùːtli]
完全に解かれた
➡ 副 完全に、絶対に

▶ **loose** [luːs]
解かれて緩んだ
➡ 形 緩い、ほどけた

▶ ＊**lose** [luːz]
緩んで離れてなくす
➡ 動 失う、なくす

resolve は＜しっかりと (re) 解決＞から「解決する」で、名詞形の **resolution** は「解決」「決心」；新年の抱負は "**new year's resolution**"。

例文

He tried to <u>solve</u> the problem but couldn't find any <u>solution</u> and <u>lost</u> the way.
彼はその問題を解決しようとしたが、解決策は何も見つからず、進む道がわからなくなった。

遠くを見るより日々の進歩を

　「英語ができるかできないか」そう聞かれて自信を持って「できる」と答えられる人は少ないと思います。「いつまでもできるようにならない」というのが実感だと思います。

　「ペラペラになる」という壮大な目標を持ってしまうと、現状との差の大きさに落胆し、一歩も前に進めなくなります。いつまでやっても「完璧」なレベルに達することはなかなかありません。でも、続けていれば少しずつでも進むことは確実です。大きな目標より手前の、より具体的で到達可能な目標を立てて、そこに向かって進みましょう。見えない岸に向かって泳ぎ続けるのは辛いですが、視界の中にある島までなら頑張れば泳げる気がします。「できる」とは断言できなくても、「きのうよりもできるようになる」ことは確実にできます。できないことを数えるよりも、できるようになったことを数えましょう。理想とのギャップを測るよりも、日々の進歩を数えるようにしましょう。

　「才能がない」と思ったら、一歩も前に進めません。でも「努力」に目を向ければ、「もう少し頑張ってみよう」と思うことができます。やってもやってもうまくいかない人には、これからうまくいく可能性があります。遠くばかりを見ていつまでもやってみようとしない人にはその可能性はありません。

　欲張っても全部はできません。背伸びをしても進みません。単語で言えば、忘れる単語の数よりも覚えるものの方がひとつでも多ければ、前に進んでいるのです。自分の進歩は自分自身には見えにくいものです。でも、周りの人の目で見れば、ちゃんと進んでいるのです。

PART ④

基本語を感じて学ぶ

Part 1 から 3 まで、語源的な英単語の説明をしてきました。実はこのような単語の成り立ちは、主にラテン語由来の語で見られます。それは 12 世紀以降にイギリスに入ったもので、それ以前からあった基本語ではそういう説明ができないものが多いのです。そこでここでは基本語を覚えるために、Part 4 では違うアプローチをしてみます。

ひとつは動詞の後ろについて「〇〇する人／もの」を意味する er という接尾辞がついた語に注目します。それらの単語から、逆に er を取ってしまった形で動詞を覚える方法です。なじみのあるカタカナ語から入るという点では Part 3 までと同じです。

もうひとつは、「なんとなく意味が聞こえてきそうな語」からのアプローチです。日本語の場合もそうですが、単語の中にはなんとなく「自然の音」や「雰囲気・感じ」を表したような単語があります。実際、オノマトペ（擬音語、擬声語、擬態語）を由来とする語は英語にもたくさんあります。それらも含めて、スペルから「なんとなく」の意味がつかめるような語を並べてみました。「感じる」ということが効率的に記憶に定着させる秘訣です。Part 4 の内容も試してみてください。

基本語を感じて学ぶ

 する人、するもの

　動詞に -er、-or という接尾辞をつけると「〜する人」「〜するもの」になります。**worker** は「働く (work) 人」で **teacher** は「教える (teach) 人」ですね。日本語として定着しているものが多いので、逆にそれらカタカナ語から er を取り払って英語の動詞の意味を理解することができます。

- ▶ ベイカー　baker　★**bake** [beɪk]　パンを焼く
- ▶ ビギナー　beginner　★**begin** [bɪgín]　始める
- ▶ バイヤー　buyer　★**buy** [baɪ]　買う
- ▶ クリーナー　cleaner　★**clean** [kliːn]　動 きれいにする　形 きれいな
- ▶ ディーラー　dealer　★**deal** [diːl]　分配する、扱う (deal in, deal with)
- ▶ ファインダー finder　★**find** [faɪnd]　見つける
- ▶ フォルダー　folder　★**fold** [fould]　折る
- ▶ ホルダー　holder　★**hold** [hould]　保持する
- ▶ オーナー　owner　★**own** [oun]　所有する
- ▶ ライター　writer　★**write** [raɪt]　書く
- ▶ アナウンサー　announcer　★**announce** [ənáuns]　知らせる、発表する
- ▶ denounce　非難する
- ▶ pronounce　発音する
- ▶ センサー　sensor　★**sense** [sens]　感じる , consensus, informed consent, sensitive
- ▶ プロバイダー　provider　★**provide** [prəváɪd]　提供する
- ▶ シンナー　thinner　★**thin** [θɪn]　動 薄める　形 薄い

ユーザー　user

us, uti
使用する

　userは「使う人」。名詞形もuseで、＜使い道 (use) がいっぱい (full)＞だと**useful**（便利な）。形容詞にすると「よく使う」から**usual**（いつもの）で、さらに副詞にすると★**usually**（いつもは）。「離れて」のabをつけると＜通常から離れる (ab)＞**abuse**（乱用）。**utilize**は「役に立つものにする」から「利用する」「活用する」。ユーザー・フレンドリー (**user-friendly**) は「ユーザーに優しい」つまり「使いやすい」です。

▶ ★**useful** [júːsf(ə)l]
use + full
➡ 形 役に立つ

▶ ★**usually** [júːʒu(ə)li]
use + al + ly
➡ 副 たいてい、普通は

▶ **abuse** [əbjúːs]
正しい使用 (use) から離れる (ab)
➡ 名 乱用、虐待　動 悪用する

▶ **utilize** [júːt(ə)làɪz]
util + ize（にする）
➡ 動 利用する、活用する

▶ **utility** [jutíləti]
util + ity（状態）
➡ 名 有用

useful

usually

　スポーツで**utility player**というのは「いろいろなことで役立つ万能な選手」で、utilityにはガスや水道などの「公共設備」の意味があり、「電柱」は**utility pole**と呼ばれます。

例文

> People <u>usually</u> find the items <u>useful</u> and <u>utilize</u> them carefully, but some <u>abuse</u> them.
>
> 人というのはたいてい、アイテムが便利であることを知って、それらを注意深く利用するものだが、悪用する人も中にはいる。

181

アクター　actor

　actという語根は「動く」の意味で**act**は「行動する」。**actor**は「芝居の中で振る舞う人」。性質を表す形容詞にする接尾辞-iveがつくと**active**（活動的な）で、さらに名詞を作る接尾辞ityがつくと**activity**（活動）。名詞にする接尾辞-ionがついた**action**は「行動」で、さらにre（戻る）がつくと**reaction**（反応）。**actual**は「現在行われている」ということから「現実の」で、副詞になった**actually**は「実際に」「本当は」で、会話にしばしば出て来る語です。

▶ ★**act** [ǽkt]
行う
→ 名 行為　動 行動する

▶ **active** [ǽktɪv]
actな (ive)
→ 形 活動的な、現役の

▶ ★**activity** [æktívəti]
activeなこと (ity)
→ 名 活動

▶ ★**action** [ǽkʃ(ə)n]
actこと (ion)
→ 名 行動、活動

▶ ★**actually** [ǽktʃu(ə)li]
行われている (actual) + ly
→ 副 実際に、本当は

act

actually

　exactは「正確な」で、**exactly**は「正確に」「ちょうど」。つづりは少し変わりますが「行う人」の形で**agent**（代理人・スパイ）や**agency**（代理店）があり、**agenda**は「実行すること」から「課題」「議題」「政策」です。

例文

The retired actor volunteered to join the activity even though he was no longer active.　その引退した俳優は、もはや現役ではないにもかかわらず、その活動に自ら進んで参加した。

ディレクター　director

rect
まっすぐ

　ディレクターは「指揮する人」。**direct**は「まっすぐに (rect) 向ける、導く」から「直接の」「命令する」。**direction**は向けられる「方向」です。＜すっかり (con) 正しい＞のが**correct**（正確な）。「正しい」の**right**も同源です。**rule**（規則）も「まっすぐな」の意味で**ruler**は「定規」。**regular**（規則的な）や**regulation**（規則）も同源です。否定のinがつくと**irregular**（不規則な）。行き先に向けてまっすぐ伸びた棒が**rail**（レール）で、そこから外れる (de) のが**derail**（脱線する）。「方向」「まっすぐ」の感覚が「正しく」つかめましたか？

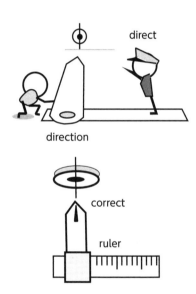

direct
direction
correct
ruler

- ▶ ★**direct** [dərékt]
  まっすぐに (direct) 向ける (ad)
  ➡ 形 直接の　動 命令する
- ▶ ★**correct** [kərékt]
  すっかり (con) 正しい (rect)
  ➡ 形 正確な、正しい　動 正す
- ▶ ★**right** [raɪt]
  まっすぐな
  ➡ 形 正しい
- ▶ ★**rule** [ruːl]
  まっすぐな、正しい
  ➡ 名 規則　動 統治する
- ▶ **regular** [régjələr]
  規則的な (ar)
  ➡ 形 規則的な、正規の

rectangleは「長方形」、**rectangular**は「長方形の」。まっすぐに向けるものが**address**です (p.16)。

We <u>corrected</u> the rocket's <u>direction</u> so it would reach the <u>right</u> place. 私たちはロケットが正しい場所に着くようにその方向を正した。

プロデューサー producer duce, duct
導く

　ディレクターの次は**producer**。ducは「導く」の意味でもともと水を導くことを表しました。＜前に (pro) 導き出す＞**produce**は「製作する」「生産する」で、生産されたものが**product**（製品）。名詞形の**production**は「製作」「生産」；日本語のプロダクションは「制作会社」のことを言っています。＜中に (intro) 導く＞のが**introduce**で、人などを導く場合には「紹介する」、設備などを導く場合には「導入する」という訳語が当てられます。＜反対に (re) 導く＞のは**reduce**（減らす）。漢字の「導」をducと捉えると理解しやすいです。

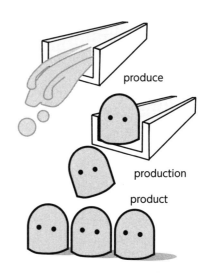

produce

production

product

- ▶ ★**produce** [prədjúːs]
  前に (pro) 導き出す (duc)
  ➡ 動 生産する、もたらす
- ▶ ★**product** [prá(ː)dʌkt]
  produce されたもの
  ➡ 名 製品、産物
- ▶ ★**production** [prədʌ́kʃ(ə)n]
  produce すること (tion)
  ➡ 名 生産
- ▶ ★**introduce** [ìntrədjúːs]
  中に (intro) 導く (duc)
  ➡ 動 紹介する、導入する
- ▶ ★**reduce** [ridjúːs]
  反対に (re) 導く (duc)
  ➡ 動 減らす

　ほかにも「離す、下す」のdeがつくと**deduction**で「控除」になります。人の能力を＜導き出す (ex) ＞のが**education**（教育）で、「引っ張る」感覚の**training**との意味の違いが理解できるかと思います（p.103 trailer参照）。

例文

> The company <u>introduced</u> the <u>product</u> that <u>reduces</u> the amount of waste. <u>Production</u> increased after this.
>
> その会社は廃棄物の量を減らす製品を導入した。このあと生産は増加した。

テイラー　tailor

tail
切る

　今では洋裁屋さんのことを「テイラー」などと呼ぶ人はあまりいないとは思いますが、tail は「切る」の意味です。**detail** の de は「すっかり」の意味で、「すっかり細部まで切る」から「詳細」。形容詞の **detailed** は「詳細な」。＜再び (re) 切る＞のが「切り売りする」で **retail**（小売りする）。**retailer** は「小売業者」。**tailor-made** は「注文仕立ての」の意味で洋服以外の製品にも使われます。

▶ **detail**　[díːteɪl]
すっかり (de) 切る (tail)
➡ 名 細部

▶ **detailed**　[díːteɪld]
すっかり切られた
➡ 形 詳細な

▶ **in detail**
detail な状態で
➡ 副 詳細に、詳しく

▶ **retail**　[ríːtèɪl]
再び (re) 切る (tail) ➡ 切り売り
➡ 名 小売り　動 小売りする

▶ **retailer**　[ríːtèɪlər]
retail する人 (er)
➡ 名 小売業者

tail　　tailor

retail

「尻尾」の **tail** の語源は異なります；**ponytail**（ポニーテール）。「小売り」の反対の「卸売り」は **wholesale**。**whole** についてはp.131 を参照してください。

例文

The <u>retailer</u> announced the <u>details</u> of the <u>tailor-made</u> product.
その小売業者は そのオーダーメイド製品の詳細を発表した。

② なんとなく意味が聞こえる

ここでは、特に基本語を覚える方策として、「音」で整理して考えることにします。

古い英語に由来する基本語は、一般に短く、接頭辞や語根といった成り立ちにはなっていません。その分単純で、中にはオノマトペ（擬音語や擬声語、擬態語）から発している語もあり、音が意味を表す感覚として捉えやすい語もあります。

机を「バンッ」とたたく**bang**や「どしん」とぶつかる**bump**、それから手を「パタッ」とたたく**pat**や「トントン」とたたく**tap**などがわかりやすい例です。

日本語でも「人が<u>サーッ</u>といなくなった」などのように特に会話ではオノマトペがとても多く使われます。言語の起源はそもそも「自然現象の模倣」だと考えれば、言語の音がその意味を表すようになっていたとしてもそれほど不思議ではありません。たとえその「音と意味の類似」が偶然だったとしても、単語を覚える上で便利なことに変わりありません。ここでは「音の感覚」を使って覚えられそうな語を並べてみました。

bang（バンッ）　　　　　　pat（パタッ）　　　　　　tap（トントン）

こんなにあるオノマトペ

- ▶ **babe/baby**：赤ちゃんは「ばぶばぶ」と泣きます。babeという語に愛称を表すyをつけたのがbabyです。
- ▶ **★beat** [biːt]：「バタバタ」とたたく（ぶつ）のがbeatです。
- ▶ **clash** [klæʃ]：「ガシャン」「カシャン」と衝突するのがclash。
- ▶ **click** [klɪk]：マウスなどを「クリッ」とclickします。「カチッ」という感じです。
- ▶ **chat** [tʃæt]：「ペチャペチャ」とおしゃべりするのがchatterでchatはその短縮形。
- ▶ **crack** [kræk]：「カリッ」と亀裂が入るのがcrack。
- ▶ **drum** [drʌm]：「ドン」とたたくのがdrum。
- ▶ **shake** [ʃeɪk]：「シャカシャカ」と振るのがshake。
- ▶ **slurp** [sləːrp]：「ズルー」っとスープをすするのがslurp。
- ▶ **tweet** [twiːt]：小鳥が「ツイッツイッ」と啼くのがtweet。
- ▶ **whistle** [(h)wís(ə)l]：口笛のように「ヒューヒュー」と鳴るのがwhistle。
- ▶ **yell** [jel]：「ヤーッ」と叫ぶのがyell。

crack

shake

「笑う」にも複数の英単語がありますが、オノマトペで捉えると理解しやすいです：

- ▶ **giggle** [gíg(ə)l]：「ゲラゲラ」と笑う。
- ▶ **laugh** [læf]：「ハッハッ」と笑う。
- ▶ **chuckle** [tʃʌ́k(ə)l]：「クスクス」と笑う。
- ▶ **guffaw** [gʌfɔ́ː]：「ガッハッハ」と笑う。

この調子で、語の音と感覚が似ている語を見ていきましょう。（オノマトペとは限らないものも、語源が異なるものもいっしょに並べています）

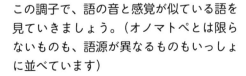

giggle　　laugh

chuckle　　guffaw

ひらひら、ペラペラ；pl, fl

　欧州語の原形である祖語"pela"は、「平らな手のひら」の意味を持つもので、英語に至るまでにpがfに変化したものもあります。日本語の「手のひら」の「ひら」に相当する感覚で、日本語の「ぺら」「ひら」の感覚にも似ているので捉えやすいと思います。「平ら」「ペラペラ」「ヒラヒラ」のような感覚の語がたくさんあります。

▶ **palm** [pɑːm]　手のひら

▶ **plain** [pleɪn]　平易な、明白な、平野

▶ ★**plate** [pleɪt]　皿、板

▶ ★**plane** [pleɪn]　平らな翼➡航空機、水平、平面

▶ ★**place** [pleɪs]　平らな土地➡置く、場所

▶ ★**plant** [plænt]　平地に植える➡植物、
　（さらに作られていく姿をたとえて）工場

▶ ★**plan** [plæn]　平面図、計画

▶ ★**flat** [flæt]　平らな

▶ ★**field** [fiːld]　野原、フィールド

▶ ★**floor** [flɔːr]　床

▶ **flake** [fleɪk]　平らな小片

▶ ☆**flag** [flæg]　旗

▶ **flutter** [flʌtər]　はためく

palm

plain
plate

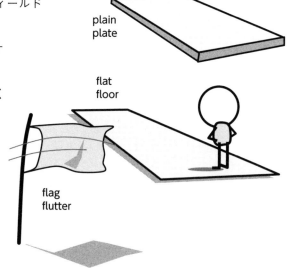

flat
floor

flag
flutter

● "R"と"L"の違い

　日本人は一般にRとLの区別が苦手です。それを区別して感じられる例を挙げます。長いものがLで丸いものがRです。

L；長いもの

▶ ★**long** [lɔːŋ]　長い

▶ ★**line** [laɪn]　線

▶ **lever** [lévər]　レバー

▶ ★**leg** [leg]　足、脚

▶ **log** [lɔːg]　丸太

▶ ★**lie** [laɪ]　横になる

▶ ☆**lay** [leɪ]　横に寝かせる

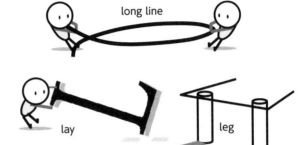

long line

lay

leg

R；「丸い形」のものや「回転するもの／動作」

▶ ★**round** [raund]　丸い、丸みを帯びた

▶ **roll** [roul]　転がる、回転、巻き

▶ **rotate** [róuteɪt]　回転する

▶ **rope** [roup]　ロープ（巻いてあるところを考えれば）

▶ **reel** [riːl]　糸巻き、リール

▶ **rotary** [róut(ə)ri]　回転する、回転式の、環状交差点

round

rotate
reel

ロケットには**rocket**と**locket**がありますが、**rocket**は形状が糸巻きに似ていることに由来する語なので筒状のイメージが持てます。くびから下げる**locket**は写真などを入れてカチンと**lock**するもので、ロックは「かんぬき」が長い棒であることを考えると理解することができます。

rocket

locket

lock

● うりうり；wr

"wr"で始まる語は「ねじる」「ひねる」のような「うりうり」「くねくね」の感覚の語が多いです。

- ▶ **wrist** [rɪst]　手首
- ▶ **★write** [raɪt]　（手首をくねくねして）書く
- ▶ **wrench** [ren(t)ʃ]　くねくねして回すレンチ
- ▶ **wriggle** [ríg(ə)l]　くねらす
- ▶ **wring** [rɪŋ]　しぼる
- ▶ **wrest** [rest]　もぎ取る
- ▶ **wrestling** [réslɪŋ]　レスリング（ねじふせる）
- ▶ **wrap** [ræp]　くるくる包む ➡包む、巻き付ける
- ▶ **★wrong** [rɔːŋ]　ひねくれた考え ➡間違った
- ▶ **★worry** [wə́ːri]　頭をひねる ➡心配する
- ▶ **weird** [wɪərd]　不思議な

ほかにもありますね。

- ▶ **wire** [waɪər]　ワイヤー
- ▶ **wrinkle** [ríŋk(ə)l]　しわ

「ラップ」には **lap** と **wrap** があります。lapはもともとは「衣服の裾の部分」を表し、そこからその部分がかかる身体の部分である「ひざの上面」も lap というようになりました。ですからlapは、「ひざ小僧」「ひざがしら」の「ひざ」（**knee**）とは異なります。「ひざ蹴り」のひざはkneeで「ひざまくら」する部分がlapです。その部分に載せて使うのが **laptop computer**、つまりノートパソコンです。lapは裾などが「ぐるりと巻く」イメージから周回の「ラップ」＝lapを連想することができます。

「ラップミュージック」の「ラップ」は **rap** で、もともと「コンコンたたく」というオノマトペ由来の語が「おしゃべり」の意味に転じて、「しゃべるような音楽」をそう呼ぶようになりました。

⬤ キラキラとギラギラ　l と gl

l ではじまる語には「灯り」「光」を表す語もあります。

▶ ★**light** [laɪt]　光、明るい
▶ **lamp** [læmp]　ランプ
▶ **lux** [lʌks]　ルクス（明るさの単位）

カタカナで聞く「ルミナス」**luminous** は形容詞で「発光する」「夜光の」で、in の意味の接頭辞がついた **illumination** は「照度」「照明」。**luxury** は「豪華な」という「きらびやか」な感じでそれを強調したのが **deluxe** です。

語源は異なりますが、cl になると、「キラキラきれい」のイメージの語があります。台所のクレンザーや化粧品のクレンジングの **cleanse**（きれいにする、汚れを取る）は **clean** と同源の語です。

▶ ★**clear** [klɪər]　明快な、明確な、澄んだ
▶ ★**clean** [kliːn]　きれいな、清潔な

cl の「キラキラ」に対して gl は「ギラギラ」になります。

▶ **glare** [gleər]　ギラギラする光、まぶしい光
▶ **glory** [glɔ́ːri]　栄光、誉れ
▶ **glance** [glæns]　きらめき、閃光
▶ **glitter** [glítər]　ピカピカ光る、きらめく
▶ ★**glass** [glæs]　ガラス（原義は「輝く」）
▶ **glow** [glou]　白熱、赤熱（蛍光灯のグローランプのグロー）
▶ **gloss** [glɑ(ː)s]　つや、光沢
▶ **I'm glad.**（うれしく思う）の glad の原義は「輝いている」

● 暗い、重い；gr

glがギラギラと明るい一方で、grは「暗くて重い」イメージの語が多いです。

- ▶ **gray** [greɪ]　灰色の
- ▶ **groan** [groun]　うめき声
- ▶ **grief** [griːf]　悲しみ、厄介
- ▶ **grizzle** [gríz(ə)l]　不平を言う、むずかる
- ▶ **gripe** [graɪp]　不平、苦情
- ▶ **gravity** [grǽvəti]　重力、厳粛
- ▶ **grave** [greɪv]　墓石、深刻な、掘る、彫刻する〔注：語源的には次の「ゴリゴリ」の仲間〕
- ▶ **grim** [grɪm]　気味の悪い、厳しい

● ゴリゴリ；gr

　前の "gr" は「重い」でしたが、"gr" には「ゴリゴリ感」で整理できる語があります。

graphはもともと「書く」「描く」ということで、紙がない昔は粘土や木や石に「ゴリゴリ」と削って記したことが想像できます。

- ▶ **autograph** [ɔ́:təgræf] = auto（自分の）＋ graph ➡サイン、自署、自筆
- ▶ **biography** [baɪá(:)grəfi] = bio（生命の）＋ graph ➡伝記、経歴、一代記
- ▶ **geography** [dʒiá(:)grəfi] = geo（土地）＋ graphy ➡地形、地理学
- ▶ **xylograph** [záɪlougræf] = xylo（木）＋ graph ➡木版画
- ▶ **pictograph** [píktəgræf] = picto（絵）＋ graph ➡象形文字、絵文字
- ▶ **program** [próugræm] = pro（前もって）＋ gram（書く）➡予定、計画
- ▶ **telegram** [télɪgræm] = tele（遠くへ）＋ gram（書く）➡電報

他にも、ゴリゴリ感のある単語があります。

- ▶ **grain** [greɪn]　粒
- ▶ **grind** [graɪnd]　すりつぶす
- ▶ **groove** [gru:v]　溝
- ▶ **grave** [greɪv]　掘る、彫刻する

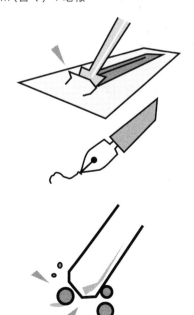

● 尖って痛い；p

　pがつく語には「突きさす」ような「痛い」ような「とがった」ような感じのものが多くあります。

▶ **pin** [pɪn]　ピン
▶ ★**point** [pɔɪnt]　ポイント、尖った先
▶ **punctual** [pʌ́ŋ(k)tʃu(ə)l]　時間に正確な
▶ **punch** [pʌn(t)ʃ]　穴をあける、こぶしで殴る
▶ ★**pick** [pɪk]　選ぶ、摘む、突く、つつく
▶ **peck** [pek]　（くちばしで）つつく
▶ **pitch** [pɪtʃ]　投げる
　　　　　　　　（語源はpickやpeckと同じ「突きさす」）
▶ **peak** [piːk]　頂上
▶ ★**pen** [pen]　ペン
▶ ★**pain** [peɪn]　痛み
▶ **punish** [pʌ́nɪʃ]　罰する
▶ **pinch** [pɪn(t)ʃ]　つねる
▶ **penalty** [pén(ə)lti]　罰

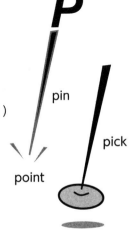

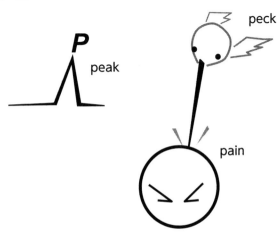

● チョキチョキ；sc/sh/sk

　s＋c/h/kで「切る」を意味する語はたくさんあります。c/h/kの部分はもともと喉の奥の方で発生させる音でしたが、歴史の中で音やスペルが少し変化していろいろになっています。「チョキチョキ」という感覚で覚えられると思います。

▶ **shear** [ʃɚr]　刈る

▶ ★**share** [ʃeɚr]　（刈ったものを）分ける

▶ ★**skirt** [skəːrt]　（切った）スカート

▶ ★**shirt** [ʃəːrt]　（切った）シャツ

▶ ★**short** [ʃɔːrt]　（切って）短い

▶ ★**score** [skɔːr]　（刻んだ）得点

▶ ☆**section** [sékʃ(ə)n]　断面

▶ **segment** [ségmənt]　断片、セグメント

▶ ★**scissors** [sízərz]　はさみ

▶ **scar** [skɑːr]　傷跡

▶ **scratch** [skrætʃ]　引っかく、引っかき傷

▶ ★**shape** [ʃeɪp]　形（切った形）

▶ **shave** [ʃeɚr]　短く切る、剃る

▶ ★**sharp** [ʃɑːrp]　鋭い

▶ **sculpture** [skʌ́lptʃər]　彫像

▶ **shredder** [ʃredər]　裁断機（シュレッダー）

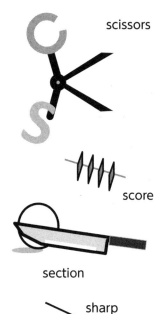

scissors

score

section

sharp

shred

● 静止；st

　語根staがつく語には文字通り「動かないでじっとした」感じのものがたくさんあります。

▶ ★**station** [stéɪʃ(ə)n]　立っているところ ➡駅、署、局

▶ ★**stage** [steɪdʒ]　ステージ、舞台

▶ **stadium** [stéɪdɪəm]　スタジアム、競技場

▶ **statue** [stǽtʃuː]　像

揺るがない感じでは

▶ **steady** [stédi]　安定した、変わらない

▶ **stable** [stéɪb(ə)l]　（able＝できる）不動でいられる ➡安定した

▶ **estate** [ɪstéɪt]　（フランス語でeがついた）　地所、財産、不動産権

立ち位置や立場のような感じでは

▶ **status** [stéɪtəs]　立っている状態 ➡状態、状況

▶ **stance** [stæns]　立場、姿勢

静かに静止した感じでは

▶ **stationary** [stéɪʃənèri]　静止した

▶ **static** [stǽtɪk]　静的な

▶ ★**still** [stɪl]　静止した、動かない

▶ **stall** [stɔːl]　（飛行機の）失速、（車の）エンスト

★**star** [stɑːr] も、（惑星と違って）「動かない」という意味で「恒星」を意味します。

★**stop** [stɑ(ː)p]は静止することですし、★**start** [stɑːrt] も静止状態から動き出すものと考えれば同じ感覚でつかむことができます。

● スイスイ；sw

"sw"ではじまる単語には「スイスイ」感、「ぐるぐる感」があります。

▶ **sweep** [swiːp]　ぐるりと回す ➡掃く、一掃する
▶ **sway** [sweɪ]　揺れる、揺り動かす、動揺
▶ **swift** [swɪft]　素早く回る ➡迅速な、即座の、速い
▶ **swing** [swɪŋ]　揺れ動く ➡揺らす、ぐるりと回す、（バットを）振る
▶ **swivel** [swív(ə)l]　自在継ぎ手、（回転いすの）台
▶ ★**swim** [swɪm]　スイスイ泳ぐ ➡泳ぐ

sway

sweep

swivel

swing

swim

水に関わる；dr

drop、dripはどちらも液体が「落ちる」「滴る」イメージで、オノマトペ由来の語です。
drがつく語には液体や水に関係する語がたくさんあります。

▶ ★**dry** [draɪ]「乾かす」「乾いている」。必ずしも風で乾かすことに限ったわけでなく、タオルで水分を取り除くのもdryです。

▶ **drought** [draut] は「日照り」。水がないことです。

▶ ★**drink** [drɪŋk] は液体をゴクゴク飲む行動。

▶ **drain** [dreɪn] は日本語でも「ドレン」または「ドレイン」ともいいますが、「排水管」を差します。原義は液体を排出することです。

▶ **drool** [druːl] は「よだれ」で、やはり「だらーり」の感覚があります。

▶ **drown** [draun]　溺死する

日本語で、ドロドロ (dorodoro) というオノマトペは流体の動きを表し、流体がやわらかくなれば「トロトロ」です。「ダラダラ」も「粘り気のある液体が糸を引くように滴るさま」をいいます。「よだれ」「垂れる」もdr、trの音です。「滴る」も元は「下＋垂る」。これらもオノマトペに由来する語だと思います。

drop　　　drip

drink

dry

dry

意味の理解がしやすくなる；one, no, all

　よく出て来る基本語の中には、その構成がわかると意味の理解がしやすくなるものもあります。参考に挙げておきます。

one がつく

▶ ★**alone** [əlóun] ＝ all ＋ one ➡まったくひとり；たったひとりで、孤独で

▶ **lone** [loun] ＝ alone から a が消失 ➡ひとりの、唯一の

▶ ★**lonely** [lóunli] ＝ lone ＋ ly ➡ひとりぼっちの、孤独な

▶ ★**only** [óunli] ＝ one ＋ ly ➡たった、だけ、唯一

▶ ★**once** [wʌns] ＝一度、ひとたび

▶ ★**none** [nʌn] ＝ not ＋ one ➡誰も〜ない、何も〜ない

no、not の意味がつく

▶ ★**neither** [níːðər] ＝ ne (no) ＋ either ➡どちらもない

▶ **neutral** [njúːtr(ə)l] どちらでもない ➡中立の

▶ ★**necessary** [nésəsèri] ＝ ne ＋ cessary ➡譲ることができない；必要な、不可欠な

all がつく

▶ ★**almost** [ɔ́ːlmoust] ＝ all ＋ most ➡all の中のほとんど；ほとんど、ほぼ

▶ ★**already** [ɔːlrédi] ＝ all ＋ ready ➡すっかり用意ができて；すでに

▶ ★**always** [ɔ́ː(l)weɪz] ＝ all ＋ way ➡いつも、必ず

▶ ★**as** [əz] ＝ all ＋ so ➡まったく同様に；同じくらい、のように、として

❊❊❊❊❊ おわりに ❊❊❊❊❊

　最後まで読んでいただき、ありがとうございました。これまでは「なんとなく」で聞き流してきた英単語が「意味のある英語」に聞こえてくるようになったのではないかと思います。街の看板を見ながら「こんなことが書いてある」ということを感じてみてください。歩いているだけで英語の学習ができるようになります。

　この本を読んで「へー」とか「面白いな」などと感じたら、ランチのときにでもお友だちに教えてあげてみてください。人に説明することで、自分の中でもいっそう記憶がはっきりと定着していきます。

　英語学習を「楽しい」と感じてもらうというのが、英語講師／教材開発者としての私の一貫したテーマです。知的好奇心を持って、「もっと知りたい」という気持ちを持ち続けて、生涯続く学習につなげていただきたいと思います。

　語源を使った英単語学習に興味を持たれた方は、筆者が運営に参加しているブログ形式のサイト「語源の広場」(http://gogen-wisdom.hatenablog.com）を利用してみてください。

　最後に、出版に至るまで親切にリードしてくださったPHP研究所の加藤さん、関連語を短い文に入れるという難しい例文作成に対して、いっしょに根気よく作業してくださった友人のJennifer Jonesさんに、深く感謝いたします。

2020年2月　　すずき　ひろし

INDEX

＊索引には、本文中で▶印をつけた基本英単語を中心に取り上げています。
＊索引中、★は中学必須レベル、☆は「英検®」(日本英語検定協会) 3級レベルの英単語です。
＊見出し語は、すべて原形で示しています。
＊品詞は次のように略しています。品詞について、本文にはなく索引のみ掲載しているものがあります。
　　　名名詞　代代名詞　動動詞　形形容詞　副副詞　前前置詞　接接続詞

A
B
C
D
E
F
G
H
I
J
K
L
M
N
O
P
Q
R
S
T
U
V
W
X
Y
Z

A
B
C
D
E
F
G
H
I
J
K
L
M
N
O
P
Q
R
S
T
U
V
W
X
Y
Z

Ａ Ｂ Ｃ Ｄ Ｅ Ｆ Ｇ Ｈ Ｉ Ｊ Ｋ Ｌ Ｍ Ｎ Ｏ Ｐ Ｑ Ｒ Ｓ Ｔ Ｕ Ｖ Ｗ Ｘ Ｙ Ｚ

A
B
C
D
E
F
G
H
I
J
K
L
M
N
O
P
Q
R
S
T
U
V
W
X
Y
Z

A
B
C
D
E
F
G
H
I
J
K
L
M
N
O
P
Q
R
S
T
U
V
W
X
Y
Z

A B C D E F G H I J K L M N O P Q R S T U V W X Y Z

N

O

A
B
C
D
E
F
G
H
I
J
K
L
M
N
O
P
Q
R
S
T
U
V
W
X
Y
Z

A B C D E F G H I J K L M N O P Q R S T U V W X Y Z

A
B
C
D
E
F
G
H
I
J
K
L
M
N
O
P
Q
R
S
T
U
V
W
X
Y
Z

A B C D E F G H I J K L M N O P Q R S T U V W X Y Z

213

A B C D E F G H I J K L M N O P Q R S T U V W X Y Z

215

〈著者略歴〉

すずきひろし

神奈川県生まれ。英語講師、英語教材開発者、イラストレーター。英語の文法や単語の意味を自作イラストによって明示化する方法を追求。神奈川県相模大野に開いた「おとなのための英語塾」や県内複数のカルチャーセンターでの初歩の英語やビジネス英語などの講座を持ち、生涯学習を支援する。著書に『英単語の語源図鑑』(共著・かんき出版)、『イラストでわかる中学英語の語源事典』(共著・PHP文庫)、『イメージで比べてわかる前置詞使い分けBOOK』(共著・ベレ出版)など。

参考文献など

『英語語源辞典』 研究社

『シップリー英語語源辞典』 ジョーゼフ T. シップリー　大修館書店

『メモリー英語語源辞典』 大修館書店

『ジーニアス英和辞典　第 5 版』 大修館書店

『ウィズダム英和辞典　第 4 版』 三省堂

Online Etymology Dictionary　(https://www.etymonline.com)

装丁　村田　隆(bluestone)

イラスト　すずきひろし

組版デザイン　朝日メディアインターナショナル株式会社

50歳からの語源で覚えて忘れない英単語1450

2020年 3 月24日　第 1 版第 1 刷発行

著　者　すずきひろし

発行者　櫛原吉男

発行所　株式会社PHP研究所

　　　　京都本部　〒601-8411　京都市南区西九条北ノ内町11

　　　　〔内容のお問い合わせは〕教 育 出 版 部 ☎ 075-681-8732

　　　　〔購入のお問い合わせは〕普及グループ ☎ 075-681-8554

印刷所　凸版印刷株式会社